Droit au but!

cours avancé
deuxième partie

DEUXIEME EDITION

teacher's resource book

Droit au but!

cours avancé
deuxième partie

DEUXIEME EDITION

teacher's resource book

Rod Hares
David Mort

John Murray

First published 1993
by John Murray (Publishers) Ltd, a member of the Hodder Headline Group
338 Euston Road
London NW1 3BH

Second edition 2000

Reprinted 2001, 2002, 2003, 2004

Layouts by Christina Newman/Black Dog Design
Cover design by John Townson/Creation
Typeset in $10\frac{1}{2}$/12pt by Wearset Ltd, Boldon, Tyne & Wear
Printed and bound in Great Britain by Hobbs the Printers Ltd, Totton, Hampshire.

A CIP catalogue record for this book is available from the British Library.

ISBN 0 7195 7537 0
Student's Book 0 7195 7536 2
Cassette set 0 7195 7538 9

Contents

Acknowledgements

The authors and publishers would like to thank the following sources for permission to reproduce text extracts:

p.8 extract from *L'Etranger*, Albert Camus, © Editions Gallimard; **pp.13–14** extract from *L'Assommoir*, Emile Zola, © Editions Le Seuil; **pp.24–5** extract from *Un Sac de billes*, Joseph Joffo, © Editions Hachette Livre/Librairie Générale Française/Le Livre de poche; **pp.36–7** extract from *Madame Bovary*, Gustave Flaubert, © Editions J'ai lu; **pp.38–9** extract from *Le Château de ma mère*, Marcel Pagnol, © Editions Bernard de Fallois; **pp.44–5** extract from *Le Chômeur*, Emile Zola, © Editions Le Seuil; **p.47** extract from *Topaze*, Marcel Pagnol, © Editions Bernard de Fallois; **p.69** 'Teenagers claim sport is "uncool" ', *London Metro*, 23/11/99; 'Britain is worst for cannabis', *London Metro*, 23/11/99; **p.70** 'Adverts creating a "Material Girl society" ', *London Metro*, 23/11/99; 'Listening makes the best present', *London Metro*, 23/11/99; **p.71** 'Angel eyes, scrubbed face, itchy armpit', Richard Mowe, *The Independent*, 15/10/98; **p.72** 'From Rebel to Representative', T.S., *Time Magazine*, 1/2/99; **p.73** 'New woman still tied to kitchen sink', Glenda Cooper, *The Independent*, 22/10/98; **p.74** 'There is no racism in Britain. Discuss', Yasmin Alibhai-Brown, *The Independent*, 22/10/98; **p.75** 'At home: the single mother', *The Observer*, 25/10/98; **p.76** 'Casting a Vote for Egalité', Bruce Crumley, *Time Magazine*, 22/3/99; **p.79** 'Tabac: les femmes en danger', Corinne Thébault, *Le Parisien/Aujourd'hui*, 31/5-1/6/97; **p.81** 'Vincent's London Love', *The Daily Mail*, 9/2/00.

While every effort has been made to contact copyright holders, the publishers apologise for any omissions, which they will be pleased to rectify at the earliest opportunity.

Photo acknowledgements
p.70 Rex Features; **p.72** Sygma/J Haillot; **p.76** Imapress/Camera Press; **p.79** © Jean François Pin-Cardella 1999/Katz Pictures; **p.80** Vincent van Gogh (1853–90) self-portrait 1888/The Bridgeman Art Library.

Introduction

Tout droit! 2e édition and *Droit au but! 2e édition* are the updated, revised and expanded edition of a two-part advanced French course whose first edition is well known and very widely used. The two-part structure, particularly appropriate for the AS/A2 specifications being taught from September 2000, reflects the 50/50 division format in which three units/modules are being examined for AS and three for A2.

Tout droit! 2e édition focused on bridging the gap from GCSE (or Standard Grade) and developing the linguistic aptitudes which are of primary concern for AS. In *Droit au but! 2e édition* the emphasis is different, reflecting the requirements of A2: although there is still strong reinforcement of grammatical understanding and language skills, students are led to investigate in more depth francophone society, culture and issues.

What does Droit au but! 2e édition *include?*

The Student's Book

The first **seven units** investigate **aspects of French society and culture**, from cinema to equal opportunities at work. The format of some of the tasks will be familiar to students as they are similar to those they have come across in *Tout droit! 2e édition*, although the language, naturally, is more demanding and there is a higher proportion of productive writing work.

The final unit – much longer than the others – is in fact a collection of **dossiers**: starting with a look at the place of France within a united Europe, it goes on to provide in-depth **case studies of several francophone societies** – Belgium, Quebec, Algeria, and three francophone islands (Guadeloupe, Martinique, and Réunion); the last item looks at where France stands in a globalised world.

The sources are often – but by no means exclusively – journalistic. **Literary extracts** are also used as reading stimuli, and are exploited both linguistically and in terms of what the author is aiming to express. The following appear regularly throughout the course to develop language skills:

Case-phrases key vocabulary which can be 're-applied' in a range of contexts, to express an opinion or carry forward an argument.
Consolidation practises a specific grammar point arising from the text.
Coin infos presents background information about France and French life.
Coin accent provides tips on pronunciation and intonation to improve your students' French accent, using a recording and practical guidance.

After the eight units comes a **Study Skills** unit giving practical guidelines on how the various skills should be developed during the course, followed by the **Grammar reference** section, in English. Finally, at the back of the book, is the French-English vocabulary list. This is supplied for quick reference, but it is expected that advanced students will be building the habit of using a dictionary effectively. There is a section on dictionary skills in the Study Skills unit.

■ Should the units be used sequentially?
There is no need to use the units sequentially, although the first unit is designed to provide the most accessible bridge from AS to A2. There are various ways in which the last unit could be used: either near the start of the course, or as individual dossiers used at intervals, or as a culminating unit at the end.

The Teacher's Resource Book

■ Transcripts and answers for Student's Book units
The answers and transcripts are integrated for each unit. Note that the literary extracts also feature on the cassette. Tasks marked with a (✓) are **core tasks**, selected to ensure coverage of key topic and grammar areas if your time is limited. Tasks marked with a (✻) are more demanding tasks, identified to facilitate differentiation.

■ Interpreting English documents
This section is provided in order to give students the opportunity of practising the kind of tasks, based on English language items, which they will be required to perform for A2. We have decided to offer it in photocopiable form in the Teacher's Resource Book rather than as tasks integrated into the Student's Book units in order to preserve the 'French' language presentation of the Student's Book. Each document is exploited by tasks modelled on the AS examination.

■ Assessment unit
This photocopiable unit offers a convenient form of end-of-year practice or mock exam papers to help prepare for the reading, writing and listening requirements of the A2 examination. See details given on page 77.

Activities matrix

	Unité 1	Unité 2	Unité 3
comprehension questions	1.3A; 1.7A; 1.9A	2.3A	3.2A; 3.4A
note-taking from written source	1.8A	2.4A, B	
note-taking from aural source	1.2A, B; 1.5A; 1.11A, B	2.5A; 2.8A	3.1B; 3.7A
«vrai/faux» from written source		2.11A	
«vrai/faux» from aural source			
gap-fill from written source	1.6A; 1.8D; 1.12B; 1.13B	2.2A; 2.4C; 2.5B; 2.6A; 2.10C	3.3E; 3.5A; 3.10B
gap-fill from aural source	1.2C; 1.10B	2.8B	3.9B
reconstructing sentences from key words supplied		2.9A	
sentence completion	1.5B	2.6B; 2.7C; 2.10A; 2.11C	3.3C; 3.8A
correcting errors in transcript			
finding the French	1.5C; 1.11C	2.8C	3.3B; 3.7C
synonym/antonym finding	1.8B		
matching captions or summaries to text	1.1A; 1.12A		3.3D; 3.10A
sequencing		2.3B; 2.7A	3.3A
question-forming		2.3C	3.10C
«exprimez autrement»	1.8C; 1.13A, C	2.1B	3.3F; 3.4B
short written response to aural, written or pictorial source	1.1B; 1.3C; 1.4B		3.2B; 3.7B; 3.8C
discussing a written source	1.1B	2.6C	
résumé		2.6C; 2.9D	3.6C; 3.7B
role play/pairwork	1.3B; 1.6C; 1.7C	2.4D; 2.6C; 2.7E	3.1A; 3.2C; 3.6A, B
group discussion	1.3C, D	2.9C	3.1A; 3.10C
speaking presentation	1.1B		3.6C
adjective/noun/verb grid	1.7B	2.5C; 2.7B; 2.9B	3.5B
translation into English	1.7D	2.2B; 2.7D; 2.11D	3.8B
translation into French	1.9C; 1.10C; 1.13E	2.1C; 2.3D; 2.10B	3.4C; 3.5C
writing a letter, fax or e-mail		2.7F	3.11
extended writing (article or essay)	1.12C; 1.14	2.4E; 2.11E	3.4D; 3.11
creative writing	1.1B	2.2C; 2.4E; 2.10D	
reusing vocabulary in a personal context		2.4D, E	3.11
transcription in French			
matching sentence halves		2.1A	
note-taking/explanation in English	1.10A; 1.13D	2.5D; 2.11B, E	

Unité 4	Unité 5	Unité 6	Unité 7	Unité 8
4.2B; 4.9A; 4.10C	5.5C; 5.9C; 5.13A	6.10A	7.3B, C; 7.8B	8.3B; 8.20B; 8.21B; 8.24
4.1A, B	5.2A, B; 5.3A; 5.5A; 5.7A; 5.9A, B; 5.10A, C; 5.12A	6.5A, B; 6.9C	7.3A; 7.7C; 7.9A	8.3C; 8.4C; 8.5A; 8.6A; 8.11A; 8.12; 8.22
4.10E	5.1A; 5.6A; 5.14A	6.3A; 6.6C; 6.7A; 6.9A	7.5A; 7.8A; 7.10A; 7.11B	8.4A; 8.10B; 8.15B; 8.17B; 8.23A, B; 8.24
	5.3B; 5.4A	6.4A	7.2A	8.3A; 8.9B; 8.10A
4.3A; 4.9F	5.8A	6.1A	7.4B	
4.1F; 4.3C; 4.6B, C; 4.7B		6.4B; 6.8A	7.2D; 7.3E; 7.5C	8.1A; 8.19
4.3F; 4.4A, B	5.2C; 5.6B	6.6B	7.8C; 7.10C	8.2A; 8.13A; 8.15A; 8.17A; 8.25A
	5.13B	6.7D	7.6B	
4.6B, C; 4.9B; 4.10B			7.7E	8.13B
			7.4B	8.2B
4.4B; 4.5B; 4.10F	5.4B	6.3B; 6.10B	7.9B; 7.10B; 7.11C	
4.3B; 4.6A; 4.8B	5.10B		7.1A; 7.7B	8.16B; 8.21A
4.10A		6.6A	7.4A; 7.7A	8.9A
4.1C; 4.5A; 4.6B; 4.7A; 4.8A; 4.10E	5.7B	6.6A; 6.11A	7.1B; 7.5A; 7.7A	
4.3D; 4.5E		6.2B		
4.2C; 4.10D		6.7C; 6.8B	7.2B; 7.3D	
4.9C	5.5B; 5.12B	6.2C; 6.9E	7.1C; 7.3B, C; 7.4B; 7.5D; 7.10D; 7.11D	8.1C
	5.7C		7.7C; 7.9C; 7.11A	
4.9G			7.5D	8.11C
4.3D; 4.5E; 4.7C	5.1C; 5.3D; 5.7C; 5.13B	6.4C; 6.9D; 6.11B	7.6D; 7.9C; 7.11A	8.1B; 8.2C; 8.17C; 8.25C
		6.3C; 6.9D	7.3F; 7.7G	
4.9G	5.3D; 5.6C; 5.7E; 5.13B; 5.14B	6.5C	7.4C	8.17C; 8.18
4.7C	5.7D; 5.11A			
4.5C	5.3C; 5.11A	6.8C; 6.10C	7.2C; 7.7D	8.2C; 8.4B; 8.5B; 8.6B; 8.11B; 8.16C; 8.22B
4.8C; 4.9D, E	5.4C	6.9B	7.6C	8.5C
4.6D; 4.11		6.1B; 6.9E	7.7F	8.4B; 8.6C; 8.8
4.11	5.14B	6.7E; 6.12	7.9D; 7.12	8.8; 8.13A; 8.18; 8.26
4.2D; 4.3G; 4.9C		6.7E	7.2E; 7.7F	
4.6D	5.12B; 5.13B	6.2C; 6.3C; 6.5C; 6.6C	7.1C; 7.5D	8.1C; 8.8; 8.13A; 8.26
				8.14
4.2A; 4.7A	5.1B; 5.8B	6.2A; 6.7B	7.1B; 7.6A	8.20A
4.1E; 4.3E; 4.4C; 4.9A	5.11D		7.4C; 7.5B	8.2B; 8.4C; 8.5A; 8.7; 8.25B

Grammar matrix

Grammar point	***Consolidations***	**Reference section**
gender of nouns	8.22	1.1
subject/object personal pronouns	1.8, 1.13, 2.6	2.1
relative pronouns	1.13	2.2
demonstrative pronouns	3.2	2.4
negative expressions	4.5, 4.6, 5.4, 5.7	2.5
agreement of adjectives	8.7, 8.19	3.1, 3.2
position of adjectives	8.7	3.3
comparatives and superlatives	1.7, 3.8, 8.25	3.8, 3.9
expressions of quantity and time	5.9	4.5
present tense	8.5, 8.6	6.1
reflexive verbs	1.7, 4.8, 6.9, 7.1	6.3
perfect tense, participles	1.7, 2.2, 2.6, 6.9, 8.6, 8.10, 8.21, 8.22	6.4
imperfect tense	2.2, 7.2, 8.6, 8.21	6.5
pluperfect tense	1.7, 2.2, 7.6	6.6
future tense	2.1, 3.7, 4.6, 5.11, 6.8	6.7
past historic tense	2.2, 8.10	6.8
the conditional present	1.6, 2.1, 2.2, 3.7, 4.6, 5.3, 5.5, 5.11, 6.8, 6.9, 7.9, 8.5	6.9
the conditional perfect	1.6, 2.2	6.10
the subjunctive	1.13, 3.8	6.11
passive forms	4.8	6.12
construction with the infinitive	1.13, 3.8, 8.4	6.13
prepositions	2.5	6.13
constructions with *faire*	2.8	6.13

Transcripts and answers for Student's Book units

Unité 1 *La vie de famille*

1.1 *La famille, ça va?* (✓)

1.1A Answers
1f **2**a **3**e **4**b **5**d **6**g **7**c

1.1B Answers
Personal response.

1.2 *Cinq ados parlent de leur famille*

1.2A–C Transcript

Sam Ma famille, c'est un cocon douillet dans lequel je me réfugie quand j'ai des problèmes ou des angoisses.

Ma famille, c'est de grandes conversations sur plein de sujets, mais c'est surtout avec ma mère que je parle de tout cela ou encore avec ma sœur. Ma famille, c'est des disputes avec ma sœur à propos de tout et de rien ou avec mes parents à propos du travail scolaire et des notes, de l'ordre dans la maison (et surtout dans ma chambre) et parfois à propos de choses sans importance. Mais ma famille, c'est aussi les souvenirs de Noël, du Jour de l'An, de Pâques, des anniversaires, des fêtes qui permettent de montrer que l'on s'aime. Les cadeaux, c'est pas seulement grâce à l'argent qu'on les offre. Non, les cadeaux, ça vient du cœur. Et je sais que mes parents seront toujours là pour me soutenir ainsi que ma sœur. Et ça c'est le plus beau cadeau, car c'est de l'amour.

Alain Ma mère a sept frères et sœurs et mon père trois frères et sœurs. Toute cette petite tribu habite l'île de la Réunion et l'on se retrouve tous, presque chaque week-end.

J'ai donc des cousins et des cousines de tous les âges, y compris le mien. Ensemble, on se sent bien car on a tous grandi les uns avec les autres. Mais celui dont je me sens le plus proche est mon frère qui est mon meilleur ami. Mais comme il fait ses études en Métropole à Lyon, on se manque et quand on se retrouve, il n'y a plus de place pour les disputes habituelles entre frères.

Aujourd'hui, je me demande qui je serais si j'avais été fils unique, car avoir un frère comme lui m'a beaucoup apporté. J'ai reçu une éducation stricte. Alors, mes parents et moi, on n'est pas très proches, mais on s'entend bien. Il existe beaucoup de tabous entre nous mais avec la famille entière, ils en rigolent, de ces tabous.

Mon père a toujours été le chef de famille. Il nous protège et je le respecte mais je ne me confie pas à lui. En revanche, ma mère est plus jeune et moins stricte. Elle s'intéresse beaucoup à ce qui se passe dans la vie de mon frère et dans la mienne. On s'entend plutôt bien avec elle.

Les moments les plus heureux, c'est lorsqu'on part en voyage ensemble, à travers le monde, on découvre tout ensemble, et ça nous laisse de beaux souvenirs.

Les conflits les plus forts portent sur le travail scolaire et les sorties du soir. Pour mes parents, il faut que tout soit clair.

La famille que je veux fonder aura quatre enfants et un mariage basé sur la confiance.

Aurélie Je crois avoir tout pour être heureuse: une belle maison en pleine forêt, de bons résultats au lycée et en musique, des parents ni divorcés ni séparés, un frère et une sœur sympas, de l'argent de poche, de l'indépendance, des amis. Et pourtant! Pourtant, il me manque quelque chose de fondamental: l'amour d'un père.

Mon père habite sous le même toit que moi, mange à la même table, mais c'est comme s'il était absent. Il n'a pas regardé mes bulletins depuis un an, et «vient d'apprendre» (à défaut d'avoir écouté) que je fais de l'allemand depuis deux ans déjà! Cela fait des années qu'il ne s'intéresse plus à nos activités, à notre programme scolaire. Et on ne peut pas lui en parler car, soit il regarde la télé, soit il lit, soit il fait des mots croisés; ou alors, il fait celui qui n'entend pas. Je pense tout de même que notre «famille» n'en serait pas là aujourd'hui si la télévision ne s'était pas introduite entre notre père et nous. Il est devenu comme un légume. Nous avons un père qui ne nous montre jamais qu'il nous aime.

Nous n'espérons même plus un éventuel changement de sa part. Il est trop tard. Entre nous, il ne reste plus place qu'à l'indifférence, voire à la haine. Je pense qu'un père absent physiquement serait moins cruel.

Nathalie Mes parents sont trop sévères. Il n'est pas question de parler de petits copains. Ils n'arrivent pas à croire que je ne suis plus une enfant et préfèrent fermer les yeux, se boucher les oreilles. Le plus dur, c'est de leur faire admettre que je suis amoureuse. Il est totalement impossible d'aborder ce sujet avec mon père. Je crois qu'il est jaloux. Il a peur de me perdre, de ne plus avoir l'exclusivité de mes câlins.

Ma mère, elle, est un peu plus ouverte, mais si, par malheur, je lui raconte mes petites aventures, elle va tout dire à mon père. Et c'est le drame. Conclusion, je ne lui fais plus confiance. C'est à des amies du même âge ou un peu plus âgées que moi que je confie mes joies et mes peines de cœur. J'ai ainsi la certitude d'être mieux comprise. Les parents ne peuvent-ils admettre que la vie sentimentale des adolescents n'appartient qu'à eux?

Ils n'ont pas à intervenir dans la vie affective de leur enfant ni à ouvrir leurs lettres. On a le droit d'avoir notre jardin secret. Tout ce qu'on demande, nous, les jeunes, c'est plus de liberté.

Armelle Sans ma famille, je serais complètement perdue. Quand j'ai des problèmes, je me tourne vers mes sœurs ou ma mère. Nous sommes très solidaires. Par exemple, si je travaille pendant les vacances scolaires pour me faire de l'argent de poche, je donne une grosse partie de mon salaire à ma mère pour l'aider à payer les factures. C'est normal. Quand j'étais petite, j'étais bien contente de ne manquer de rien grâce à mes sœurs aînées qui aidaient mes parents. Aujourd'hui, je continue la tradition. Le respect dû aux aînés reste très présent. Si mon frère m'interdit de voir quelqu'un qui ne lui plaît pas, je lui obéis. A la maison, je le sers. Il ne doit toucher à rien. Cela ne me choque pas, j'ai été élevée comme ça. Par contre, si au lycée un copain me donne un ordre, je ne supporte pas! A l'extérieur, je vis comme une Française. A la maison, je vis comme une Algérienne. Sans arrêt, je passe d'un monde à l'autre. Parfois je m'y perds un peu ...

1.2A Answers

1 Alain **2** Nathalie **3** Aurélie **4** Armelle **5** Nathalie **6** Sam et Armelle **7** Sam **8** Armelle **9** Alain **10** Aurélie **11** Sam

1.2B Answers

	Points positifs	**Points négatifs**
Sam	• cocoon, place of refuge • love between members of family	• arguments with parents over school, untidiness
Alain	• large family, many cousins of various ages • brother is his best friend • gets on well with parents, especially mother • respects father • family holidays	• misses brother (student in Lyon) • no opportunity for usual arguments! • mother is younger, less strict • arguments about school work and going out at night
Aurélie	• apparently ideal home and family	• father not interested in any aspect of family life or in her studies • pessimistic about prospect of any improvement
Nathalie		• parents too strict • won't accept that she's no longer a child • can't talk about love/boyfriends, especially with father • mother more open, but tells father everything
Armelle	• very close family	• father very traditional

1.2C Answers

Sam
1 dispute **2** études **3** reçoit **4** désordre

Alain
1 vois **2** étudiant **3** mieux

Aurélie
1 seule **2** paternel **3** porte **4** fais **5** même **6** fait **7** étudie

Nathalie
1 amour **2** fait **3** surtout

Armelle
1 dépends **2** aider **3** suis **4** cadette

1.3 *Le bonheur à deux?* (✓)

Premier sondage

Pour quelles raisons surtout vous êtes-vous mariée?

	%[1]	RANG
Pour faire plaisir aux parents	5	7e
Par respect des traditions	**24**	**3e**
Parce que vous attendiez un enfant	7	5e
Pour faire la fête	3	8e
Pour sceller votre amour	**68**	**1er**
Pour officialiser votre relation	**23**	**4e**
Pour avoir des enfants	**33**	**2e**
Pour faciliter la vie (avantages fiscaux, trouver facilement à se loger . . .)	7	5e
Autres	6	

[1] Le total des pourcentages est supérieur à 100, les personnes interrogées ayant pu donner trois réponses.

Autrefois, on se mariait pour sceller son amour: 78% chez les plus de 65 ans contre 65% chez les moins de 34 ans. En revanche, plus le mariage est récent, plus on se marie enceinte. 10% des moins de 34 ans, contre 3% des plus de 50 ans. La libération des mœurs est passée par là. Et plus on est de gauche, plus on est enceinte: 10% à gauche contre 6% à droite. Les couples d'ouvriers ont la palme des «mariages obligés»: 15% des femmes d'ouvriers se sont mariées parce qu'elles étaient enceintes. Conclusion: une femme jeune, ouvrière et de gauche, «faute» énormément! Le respect des traditions n'a poussé que 14% des moins de 34 ans contre 25% des plus de 50. Et 15% des plus jeunes se marient pour se faciliter la vie contre 3% des plus de 50 ans.

Deuxième sondage

A l'époque de votre mariage, qu'est-ce qui vous attirait le plus chez votre futur mari? (Réponses sur liste.)

	%[1]	RANG
Son allure physique	29	4e
Sa prévenance, l'attention qu'il vous portait	49	2e
Son honnêteté, son intégrité morale	53	1er
Ses idées, sa conversation	23	5e
Son style de vie	12	7e
Sa sensualité	9	8e
Son humour, sa drôlerie	17	6e
Sa solidité, sa force de caractère	34	3e
Autres	13	

[1] Le total des pourcentages est supérieur à 100, les personnes interrogées ayant pu donner trois réponses.

27% des moins de 34 ans ont été attirées par l'humour de leur futur époux, et seulement 42% par son intégrité morale contre 68% chez les plus de 65 ans. L'allure physique rassemble toutes les tranches d'âge, mais la sensualité attire surtout les jeunes: 14% chez les moins de 34 ans, 5% chez les 50 à 64 ans. Les agricultrices ne sont que 39% à avoir admiré l'intégrité de leur conjoint. Les cadres font rire leur épouse: 24% ont été attirées par son humour. En revanche, ils récoltent le plus faible score pour leur allure physique: 25%. Les femmes de cadres sont peutêtre plus exigeantes.

1.3A–D Answers
Personal response.

1.4 *Les mobiles du mariage*

1.4A & B Answers
Personal response.

1.5 *Pourquoi se marier?*

1.5A–C Transcript

Valérie On a choisi de célébrer le fait qu'on s'aime depuis longtemps. On est presque un vieux couple: et ça fait sept ans qu'on s'aime. On s'est rencontrés au Club Med. J'étais avec mes parents, j'avais quinze ans. Eric a été mon premier amour.

Eric Au bout de plusieurs années, on s'est rendu compte qu'il y avait une alliance qui s'était faite. On était mari et femme. Nous marier, c'était rendre publique cette alliance. Nous attendons un bébé aussi. Bon, ce n'est pas pour «régulariser» qu'on se marie, mais pour que le bébé soit de la fête!

Olivier Ça fait neuf ans qu'on vit ensemble. Jusque-là on ne pensait pas à se marier. On était même tout à fait contre. Puis, on s'est dit qu'il valait mieux considérer ce qui était le plus avantageux. Pour des raisons fiscales et utilitaires, c'est plus avantageux d'être mariés. L'autre raison, c'est qu'on a envie de faire une grande fête. Trois jours et trois nuits. Le mariage, c'est un bon prétexte pour ça.

Cathou J'ai envie d'avoir des enfants plus tard, mais c'est complètement indépendant du mariage. Ça n'a vraiment rien à voir.

Laurence C'est moi qui l'ai demandé en mariage. Pour moi, le foyer, la famille, c'est lié au mariage. On avait envie de continuer à vivre ensemble, il voulait un enfant, moi aussi, alors j'ai pris les devants. Mais un mois avant, j'ai paniqué. Peur de perdre ma liberté, je . . . de me tromper, je ne sais pas. Puis tout s'est arrangé.

Philippe Pour moi le mariage ne représentait rien. Notre amour était une chose d'ordre privé qui ne regardait pas les autres. Mais je me suis rendu compte que ça comptait pour elle. Alors je l'ai épousée par amour.

Carole On s'est connus dans le métro il y a deux ans. Je rentrais chez moi, il était derrière la caisse. On vit ensemble depuis un an. Le mariage, pourquoi pas? C'est lui qui en a eu l'idée. Ça n'a pas changé grand-chose entre nous. C'est une façon de faire entrer l'autre dans la famille, de s'engager vis-à-vis de la société. Pas de fiançailles ni de robe blanche: à nos âges, ce serait ridicule! Pas de cérémonie à l'église: nous ne sommes croyants ni l'un ni l'autre. Mais nous avons fait une grande fête, ça oui! Le voyage de noces, c'est pour plus tard: on économise pour partir six semaines en Thaïlande.

1.5A Answers
1 Olivier **2** Cathou **3** Laurence **4** Philippe **5** Carole **6** Valérie

1.5 Coin accent Transcript (M then F)
See 1.5A–C transcript, from «On a choisi de célébrer . . . »" to « . . . j'avais quinze ans.»

1.5B Answers
1 de célébrer le fait qu'on s'aime depuis
2 plusieurs années, on s'est rendu compte qu'il y avait une alliance
3 on ne pensait pas à se
4 qu'il valait mieux considérer ce qui était
5 qui l'ai demandé
6 que ça comptait pour elle. Alors je l'ai épousée
7 il était derrière la caisse. On vit ensemble
8 c'est pour plus tard: on économise pour partir six semaines

1.5C Answers
1 Ça fait neuf ans qu'on vit ensemble.
2 Ça n'a vraiment rien à voir . . .
3 J'ai pris les devants.
4 Une chose d'ordre privé qui ne regardait pas les autres.
5 C'était lui qui en a eu l'idée.
6 Nous ne sommes croyants ni l'un ni l'autre.

1.6 *Une conversation sur le mariage* (✓)

1.6 Transcript
L'Etranger
Le soir, Marie est venue me chercher et m'a demandé si je voulais me marier avec elle. J'ai dit que cela m'était égal et que nous pourrions le faire si elle le voulait. Elle a voulu savoir alors si je l'aimais. J'ai répondu comme je l'avais déjà fait une fois, que cela ne signifiait rien mais que sans doute je ne l'aimais pas. «Pourquoi m'épouser alors?» a-t-elle dit. Je lui ai expliqué que cela n'avait aucune importance et que si elle le désirait, nous pouvions nous marier. D'ailleurs, c'était elle qui le demandait et moi je me contentais de dire oui. Elle a observé alors que le mariage était une chose grave. J'ai répondu: «Non.» Elle s'est tue un moment et elle m'a regardé en silence. Puis elle a parlé. Elle voulait simplement savoir si j'aurais accepté la même proposition venant d'une autre femme, à qui je serais attaché de la même façon. J'ai dit: «Naturellement.» Elle s'est demandé alors si elle m'aimait et moi, je ne pouvais rien savoir sur ce point. Après un autre moment de silence, elle a murmuré que j'étais bizarre, qu'elle m'aimait sans doute à cause de cela mais que peut-être un jour je la dégoûterais pour les mêmes raisons. Comme je me taisais, n'ayant rien à ajouter, elle m'a pris le bras en souriant et elle a déclaré qu'elle voulait se marier avec moi. J'ai répondu que nous le ferions dès qu'elle le voudrait.

1.6A Answers
1 rendu **2** voulait **3** envie **4** épouser **5** première **6** posé **7** sérieux **8** même **9** cessé **10** l' **11** sans **12** sûre **13** avis **14** resté **15** puisqu'/car **16** autre **17** lui **18** disant **19** être; devenir **20** marieraient

1.6B & C Answers
Personal response.

1.6 Consolidation Answers
1 **a** tu aurais accepté **b** elles auraient accepté
2 **a** tu serais attaché **b** elles seraient attachées
3 **a** tu la dégoûterais **b** elles la dégoûteraient
4 **a** tu le ferais **b** elles le feraient
5 **a** tu le voudrais **b** elles le voudraient

1.7 *L'amour n'est plus ce qu'il était* (✓)

1.7A Answers
1 Elle est peu passionnée.
2 Ils quittent leur femme et trouvent une nouvelle compagne beaucoup plus jeune qu'eux (à qui ils font généralement un enfant).
3 Les féministes sont partiellement responsables.
4 A cause du sida.

1.7B Answers
1 impressionner **2** impressionnant **3** disparition (f) **4** disparu **5** méfiance (f) **6** (se) méfier (de) **7** passionner **8** passionnant **9** choix (m) **10** choisi **11** disposition (f) **12** disposer **13** tendre **14** tendu **15** déroulement (m) **16** déroulé **17** remarque (f) **18** remarquer **19** (se) comporter

1.7C Answers
Personal response.

1.7D Answers
He behaves like this not because he cannot find women of his own age with whom he would get on well, but because he's not satisfied with himself. He lacks confidence, he needs to reassure himself. I see this as one of the consequences of feminist campaigns which have disconcerted men and prevented them from expressing themselves. So women are partly responsible for this lessening of love. An older man is afraid of letting himself go.

Who is ready, these days, to throw everything over and start a completely new life? Very few people. I can assure you that it was quite the opposite 40 years ago.

1.7 Consolidation Answers

Comparatives and superlatives

1 de plus en plus de passion
2 Les enfants sont beaucoup moins bien dans leur tête.
3 Ils sont moins libres.
4 Ils sont moins réservés, moins méfiants, plus disposés à vivre des passions intenses.
5 une personne beaucoup moins jeune que lui

Reflexive verbs; perfect; pluperfect

1 Je me suis mal assumé. Je m'etais mal assumé.
2 Après l'explication, elle s'est rassurée. Après l'explication, elle s'était rassurée.
3 Nous nous sommes exprimés avec difficulté. Nous nous étions exprimés avec difficulté.
4 Les hommes ne se sont pas laissés facilement aller! Les hommes ne s'étaient pas laissés facilement aller!
5 Tu ne t'es pas exprimé librement devant le groupe. Tu ne t'étais pas exprimé librement devant le groupe.

1.8 *Mère-fille: tout sauf l'indifférence* (✓)

1.8A Answers

See table at foot of page.

1.8B Answers

1 fait mienne **2** frangine **3** d'origine populaire **4** évidente **5** autonome

1.8C Answers

1 Elle était pleine de dévouement.
2 Elle m'a écrasée.
3 Elle jugeait les gens très sévèrement.
4 Malheureusement, ma mère n'a pu me comprendre.
5 Elle m'a rendue soucieuse de ne pas dépenser trop.

1.8D Answers

1 toujours **2** lorsque **3** contre **4** dû **5** lien **6** dois **7** plaisais **8** humour **9** permis **10** riant **11** monde **12** seule **13** depuis **14** matins **15** tellement

1.8 Consolidation Answers

1 **a** indirect **b** indirect **c** direct **d** direct **e** direct
2 **a** Elle m'a offert des avantages.
b Elle m'a fermé cette voie.
c Je lui ai raconté tous mes amours.
d Elle l'a trouvée trop indifférente.
e Elle m'a tout donné.

1.9 *Les familles monoparentales* (✓)

1.9A Answers

1 Elle mentionne beaucoup de problèmes qu'elle a lus dans *La main tendue.*
2 Lors de la naissance elle le connaissait depuis un an.
3 Ils ne vivent plus ensemble, donc ils ne se voient pas trop souvent.
4 Personal response.

1.9B Answers

1 Elle a fait la connaissance du père il y 30 mois.
2 Les rapports entre Sandrine et le père de l'enfant sont meilleurs maintenant qu'ils n'habitent plus ensemble.
3 Le bébé a compris que sa mère est (plus) faible (que son père).
4 Cela se voit (on voit cela) à la façon dont il se comporte en mangeant.
5 Sandrine trouve difficile de ne pas embrasser son bébé quand il commence à pleurer (pendant) la nuit.

1.9C Answers

Suggested answer.

Les familles monoparentales peuvent éprouver de grosses difficultés. Quelquefois, en partageant ses problèmes avec les lecteurs de magazines, une jeune mère ou un jeune père reçoit des conseils de ceux qui se sont trouvés dans une situation pareille. Sandrine a écrit à *Femme Actuelle* parce qu'elle pensait que son petit garçon de dix-huit mois avait besoin d'une

	Points positifs	Points négatifs	Influence sur sa vie
A. Ernaux	Très forte. Aimait beaucoup lire. Modèle de responsabilité.	Pas assez féminine.	Autonome. Pas besoin d'être protégée. Elle lui a donné confiance en elle. Elle n'a jamais désiré que ses enfants soient toute sa vie.
F. Hardy	Une femme de devoir. Elle puisait une grande force en elle-même. Fiable, responsable.	Elle maintenait sa fille (ses filles) dans un certain infantilisme. Pesante, écrasante, jugements très arrêtés.	Très raisonnable sur le plan financier.

présence paternelle. Elle sait qu'à cause de ce besoin, il se comporte mal, mais trouve difficile de ne pas le câliner quand il pleure sans arrêt la nuit.

1.10 *Ludovic parle de la séparation de ses parents*

1.10A & B Transcript

Le jour où mes parents se sont séparés, tout a basculé. J'ai ressenti une grande douleur. Comme une sorte de trahison. J'avais l'habitude d'une famille unie, on partait toujours en vacances ensemble, on partageait tout. Du jour au lendemain, tout a éclaté parce que mon père est parti avec une autre femme. La famille, je n'y crois plus. Puisque tout peut s'arrêter au bout de dix-sept ans de mariage ... Avant j'avais vraiment envie d'en fonder une. Maintenant, je me méfie. Depuis que mon père est parti, je fais ce que je veux. Ma mère ne m'interdit rien. D'un côté, cela m'arrange. Mais de temps en temps, j'aimerais bien rencontrer des limites. Celles que mon père m'imposait quand il était là ... Dans une famille, il ne peut y avoir un équilibre pour les enfants que si le père et la mère sont présents. Après la séparation de mes parents, on a dû vendre la maison et déménager. J'ai perdu tous mes copains d'enfance, tous mes souvenirs, d'un seul coup. Je me sens déraciné. Pour Noël, on allait toujours dans les deux familles. Cette année, nous sommes restés chez nous, sans rien faire. C'était triste. Pendant le divorce, ma mère pleurait tout le temps. Elle me confiait des choses très personnelles et je me sentais un peu dépassé par les événements. Du coup, maintenant, je suis toujours fatigué et j'ai très souvent mal à la tête.

1.10A Answers

avant

- always went on holidays together
- shared everything
- wanted to have own family
- used to visit mother's & father's family at Christmas

après

- Ludovic no longer believes in the family
- wary of having own family
- no restrictions imposed on him
- had to sell house and move
- lost all his childhood friends
- feels rootless
- this Christmas stayed at home, did nothing
- always feels tired, often has headaches

1.10B Answers

1. mes parents se sont séparés, tout
2. cela m'arrange. Mais de temps en temps, j'aimerais bien rencontrer
3. il ne peut y avoir un équilibre pour les enfants que si le père et la mère sont
4. tous mes copains d'enfance, tous mes souvenirs, d'un seul
5. des choses très personnelles et je me sentais un peu dépassé

1.10C Answers

1. Il a ressenti une grande douleur quand ses parents se sont séparés.
2. Son père est parti avec une autre femme.
3. Tout s'est arrêté après de nombreuses années de mariage.
4. Ça arrange Ludovic que sa mère ne lui impose aucune restriction.
5. Depuis la séparation de ses parents, Ludovic se sent déraciné.

1.11 *Les grands-parents* (✻) ✓

1.11A–C Transcript

Claire Euh, les grands-parents, c'est important, je pense. Ils peuvent beaucoup apporter aux enfants. Pour prendre l'exemple de mes filles, elles n'ont pas de grand-père et cela leur manque beaucoup. Elles ont connu un de leurs grands-pères quand elles étaient (toutes) petites et elles ont de bons souvenirs mais tout cela s'est arrêté lorsqu'il est mort. Quand je repense à mon enfance, je me rappelle avoir vécu de bonnes expériences avec mes deux grands-pères. Ils étaient très différents. L'un était très extraverti, il aimait beaucoup parler de son enfance, de ce qu'il faisait. Il habitait une ferme. Il parlait beaucoup aussi de ses expériences pendant la guerre. Et l'autre, au contraire, était plus secret mais adorait les enfants. Nous étions toute une bande de cousins et très souvent, par exemple, nous allions l'aider. Je me rappelle en particulier que nous allions l'aider au moment de la cueillette des pommes. Il avait plusieurs vergers et il rassemblait toute la famille au moment de la cueillette des pommes au mois de septembre et chaque enfant était payé tant de centimes par panier de pommes cueillies, et ce sont de bons souvenirs. La raison pour cela, peut-être, c'est que, avec ses parents on a des problèmes journaliers à régler et je pense que, une fois que ces problèmes sont réglés, on n'a plus assez de temps pour aller au fond des choses. Alors qu'avec ses grands-parents il y a plus de recul et les sentiments passent mieux. Et je pense que, parce qu'on n'a pas ces soucis de détails, on va au plus profond des sentiments avec ses grands-parents.

Madame Croze et Laurence

Mme Croze Je n'ai connu qu'un grand-père; mes grands-mères et mon autre grand-père, ils sont morts, je n'étais pas née, et ce grand-père pour moi était quelqu'un de très grand, très sévère, tout le monde le craignait. Mais il était très gentil – c'était un homme très gentil, mais on avait peur de lui. S'il haussait la voix, les petits-enfants, on se taisait, et on ne disait plus rien. Et puis j'ai grandi et ce grand-père qui, ... m'impressionnait tant, m'a moins impressionnée. Je l'ai perdu quand j'avais 20 ans, donc je n'ai pas pu en profiter comme j'aurais voulu en profiter.

Interviewer Et vous, Laurence, vos impressions de vos grands-parents?

Laurence Ben, j'ai de très bons souvenirs du grand-père que j'ai perdu l'an dernier. C'était quelqu'un de très, très, très bien. Je l'aimais beaucoup. Et mes deux grands-mères, elles sont toutes les deux très différentes.

Interviewer Comment?

Laurence Il y a la mamie, un peu la mamie gâteau, qui veut tout faire pour nous faire plaisir; et la mamie qui nous prenait pour les vacances, elle était plus jeune, c'était pas les mêmes relations chez elle en vacances. Et puis, il y avait pas trop, trop de rapports, finalement. Alors que mon autre mamie, elle nous menait à l'école, je la voyais beaucoup plus souvent. Maintenant, il y a un peu plus de problèmes, elle voudrait tout savoir, elle veut s'occuper de tout, elle a toujours voulu tout régenter.

Mme Croze Ça choque un peu. Et plus tard, tu seras plus proche d'elle, je pense.

Laurence Je le suis déjà, de temps en temps. Des fois elle m'énerve un peu, d'autres je suis contente qu'elle soit là.

Interviewer Et le rôle changeant des grands-parents, en général, qu'est-ce que vous en pensez? Est-ce qu'ils remplissent les mêmes fonctions, le même rôle qu'autrefois?

Mme Croze Ils sont plus jeunes et puis le fait que souvent la grand-mère, le grand-père sont encore en activité, quand ils ont des petits-enfants, donc on n'a pas la même vie. Je pense qu'ils ne laissent pas passer ... ils sont peut-être plus sévères que les grands-parents d'avant.

1.11A Answers

1 Claire **2** Mme Croze **3** Mme Croze **4** Claire **5** Laurence **6** Laurence **7** Claire **8** Claire **9** Mme Croze **10** Laurence

1.11B Answers

1 Mme Croze **2** Claire **3** Claire **4** Claire et Laurence **5** Mme Croze **6** Laurence

1.11 Coin accent Transcript (M then F)

See 1.11A–C transcript, from «Les grands-parents, c'est important, je pense ... » to « ... de bonnes expériences avec mes deux grands-pères».

1.11C Answers

1. Il aimait beaucoup parler de son enfance.
2. Il y a plus de recul.
3. Je n'étais pas né(e).
4. S'il haussait la voix ...
5. ... veut tout faire pour nous faire plaisir.
6. Je la voyais beaucoup plus souvent.
7. Tu seras plus proche d'elle.
8. ... le même rôle qu'autrefois.
9. La grand-mère, le grand-père sont encore en activité.

1.12 *Une grand-mère extraordinaire*

1.12A Answers

1b **2**f **3**g **4**e **5**a **6**d

1.12B Answers

1 tant **2** si **3** assez **4** photos **5** peu **6** appartement **7** aimant **8** autant **9** équitation **10** natation **11** patiner **12** professionnelle **13** européens **14** préfère **15** ayant **16** offre; envoie **17** âgées **18** dépense **19** reçoit/gagne **20** obligée **21** puisse **22** pleine **23** autres **24** accident **25** pourra

1.12C Answers

Personal response.

1.13 *Les parents destructeurs* (✓)

1.13A Answers

Suggested answer.

1. Un enfant battu par ses parents.
2. Quelqu'un qui s'occupe de nouveaux-nés et de très jeunes enfants.
3. Un bébé nourri au sein de sa mère.
4. Une façon très sévère d'élever les enfants.
5. Une personne qui refuse la nourriture parce qu'elle est obsédée par sa ligne.

1.13B Answers

1. il existe des enfants qui ont été attaqués par les mots violents et eux, ils
2. un régime trop strict
3. quand un enfant est né et que quelqu'un déclare que
4. d'un médecin qui disait que prendre un enfant dans les bras pourrait encourager de
5. qu'Emilie refusait de manger parce qu'elle l'avait abandonnée pour faire
6. aime pas du tout manger la soupe à la citrouille.

1.13C Answers
Suggested answer.
1 Elle est nerveuse tout le temps.
2 Elle parle très vite.
3 Elle a quitté son emploi.
4 Les enfants quittent la famille/la maison.

1.13D Answers
Personal response.

1.13E Answers
Suggested answer.
Bien qu'une éducation «à l'ancienne» puisse finir par convaincre un enfant qu'il est mal aimé, une éducation libérale n'est pas moins difficile à supporter. Quelquefois, le seul reproche que l'on puisse faire aux parents, c'est qu'ils ont trop aimé leurs enfants! Beaucoup de parents se sacrifient pour leurs rejetons. Ces enfants se souviennent d'avoir été gâtés mais ils se rappelleront aussi les plaintes de leurs parents: «On ne te voit plus. Tu ne vas pas nous faire cela! Nous n'aurions jamais eu d'enfants si nous avions su ce qui allait se passer!» Comment leur reprocher ces remarques qui nous forcent à considérer comment nous traiterions nos propres enfants?

1.13 Consolidation fin de l'unité Answers
Dont
1 Deux femmes dont je connais les fils.
2 Le problème dont je veux parler.
3 Annie Ernaux, dont la mère était commerçante.
4 Les parents dont il n'est plus aimé.
5 Ce poème dont je n'ai jamais compris le sens.

De* or *à
1 L'amour a tendance à disparaître.
2 A la fois grand-père et père.
3 Il est bon de vous inquiéter.
4 Qui est prêt, aujourd'hui, à tout plaquer?
5 Il ne s'intéressait à rien.
6 Agé de dix-huit ans.
7 Il n'y a rien d'alarmant.
8 Elle a besoin de les câliner.
9 A longueur d'année.
10 Vous êtes nombreuses à répondre à *La Main tendue.*
11 Ils n'ont pas le temps de lui dire assez.
12 Ils forcent l'enfant à poursuivre ses études.

En
1 J'ai deux fils: je m'en suis beaucoup occupé.
2 Qu'est-ce qu'en pensent les spécialistes?
3 Je n'ose pas en parler.
4 J'en ai entendu parler.
5 Elle en a vu trois.

Subjunctive
1 a aie **b** soient **c** soit **d** voie **e** juge
f vive **g** fasse **h** convienne **i** entende
j puisse **k** souviennent

2 a My mother found it quite normal that I should want (that I wanted) to write.
b I never wanted my children to be my whole life.
c I would have liked my mother to be like that.
d I would prefer it if he saw us from time to time.
e I'm afraid he will judge me.
f So that our links as friends continue/thrive.
g He must make an effort!
h So that it suits him.
i In order that/So that no one can hear.
j So that a grandmother can play her role.
k So that they remember how nice it was!

1.14 *Travail de synthèse*
Personal response.

Unité 2 *Dépendances et santé*

2.1 *Le Nord est malade* (✓)

2.1A Answers
1e **2**g **3**d **4**a **5**b **6**c **7**f

2.1B Answers
Personal response.

2.1C Answers
Suggested answer.
Le Nord de la France détient le record pour les maladies qui peuvent être attribuées à la consommation excessive de tabac et d'alcool. Et ce n'est pas tout: depuis plusieurs années cette région connaît une augmentation de la mortalité précoce non seulement parmi les adultes mais aussi parmi les très jeunes enfants. Si les gens de Dunkerque et de Lille buvaient et fumaient moins, ces villes ne seraient plus en tête du palmarès de celles où, en moyenne, l'espérance de vie de leurs habitants est parmi les plus courtes du pays entier.

2.1 Consolidation Answers
1 sera, serait
2 recommencera, recommencerait
3 mourront, mourraient
4 figurerons, figurerions
5 aura, aurait
6 verra, verrait
7 expliqueront, expliqueraient
8 cumulera, cumulerait
9 aurons, aurions

10 résultera, résulterait
11 constatera, constaterait
12 pourra, pourrait
13 détiendrons, détiendrions
14 concernera, concernerait

2.2 *Une célèbre histoire d'alcool:* L'Assommoir

2.2A Answers
1 ouvert **2** rien **3** faisait **4** frappant **5** demandé **6** sommeil **7** donnée **8** qui **9** rentré **10** bu **11** odeur **12** allumé **13** vu/aperçu/remarqué **14** par **15** vomi **16** tomber **17** réveillé **18** indignation **19** pareil **20** sale/pourri

2.2B Answers
Neither dared move, nor knew where to stand (put their feet). Never had the plumber come back with such a skinful or (nor had he) got the bedroom into such a disgraceful state. Seeing this, therefore, was a body-blow to what remained of his wife's feelings for him. Previously, when he came home merry or plastered, she was (had been) indulgent rather than disgusted. But now, it was too much, her stomach was heaving. She wouldn't have touched him with a barge-pole. The very idea that this boor's skin should touch her own caused her (to shudder with) revulsion, as if she had been asked to lie down next to a dead man/body, who/which had been eaten away by a vile ailment/disease.

2.2C Answers
Personal response.

2.2 Consolidation Answers
See table at foot of page.

2.2 Transcript
L'Assommoir
La porte s'ouvrit, mais le porche était noir, et quand elle frappa à la vitre de la loge pour demander sa clef, la concierge ensommeillée lui cria une histoire à laquelle elle n'entendit rien d'abord. Enfin, elle comprit que le sergent de ville Poisson avait ramené Coupeau dans un drôle d'état, et que la clef devait être sur la serrure.

«Fichtre! murmura Lantier, quand ils furent entrés, qu'est-ce qu'il a donc fait ici? C'est une vraie infection.»

En effet, ça puait ferme. Gervaise, qui cherchait des allumettes, marchait dans du mouillé. Lorsqu'elle fut parvenue à allumer une bougie, ils eurent devant eux un joli spectacle. Coupeau avait rendu tripes et boyaux; il y en avait plein la chambre; le lit en était emplâtré, le tapis également, et jusqu'à la commode qui se trouvait éclaboussée. Avec ça, Coupeau, tombé du lit où Poisson devait l'avoir jeté, ronflait là-dedans, au milieu de son ordure. Il s'y étalait, vautré comme un porc, une joue barbouillée, soufflant son haleine empestée par sa bouche ouverte, balayant de ses cheveux déjà gris la mare élargie autour de sa tête.

«Oh! le cochon! le cochon! répétait Gervaise indignée, exaspérée. Il a tout sali ... Non, un chien n'aurait pas fait ça, un chien crevé est plus propre.»

Tous deux n'osaient bouger, ne savaient où poser le pied. Jamais le zingueur n'était revenu avec une telle culotte et n'avait mis la chambre dans une ignominie pareille. Aussi, cette vue-là portait un rude coup au sentiment que sa femme pouvait encore éprouver pour lui. Autrefois, quand il rentrait éméché ou poivré, elle se montrait complaisante et pas dégoûtée. Mais, à cette heure, c'était trop, son cœur se soulevait. Elle ne l'aurait pas pris avec des pincettes. L'idée seule que la peau de ce goujat chercherait sa peau, lui causait une répugnance, comme si on lui avait demandé de s'allonger à côté d'un mort, abîmé par une vilaine maladie.

«Il faut pourtant que je me couche, murmura-t-elle. Je ne puis pas retourner coucher dans la rue ... Oh! je lui passerai plutôt sur le corps.»

Imparfait	Passé composé	Passé simple	Plus-que-parfait	Conditionnel présent	Conditionnel passé
ramenait	a ramené	ramena	avait ramené	ramènerait	aurait ramené
faisait	a fait	fit	avait fait	ferait	aurait fait
cherchait	a cherché	chercha	avait cherché	chercherait	aurait cherché
avaient	ont eu	eurent	avaient eu	auraient	auraient eu
rendait	a rendu	rendit	avait rendu	rendrait	aurait rendu
ronflait	a ronflé	ronfla	avait ronflé	ronflerait	aurait ronflé
s'étalait	s'est étalé	s'étala	s'était étalé	s'étalerait	se serait étalé
salissait	a sali	salit	avait sali	salirait	aurait sali
revenait	est revenu	revint	était revenu	reviendrait	serait revenu
se soulevait	s'est soulevé	se souleva	s'était soulevé	se soulèverait	se serait soulevé
prenait	a pris	prit	avait pris	prendrait	aurait pris
demandait	a demandé	demanda	avait demandé	demanderait	aurait demandé

Elle tâcha d'enjamber l'ivrogne et dut se retenir à un coin de la commode, pour ne pas glisser dans la saleté. Coupeau barrait complètement le lit.

2.3 *L'alcoolisme féminin* (✓)

2.3A Answers

1 Elles restent en deçà de la capacité d'absorption des hommes.
2 Les femmes actives sont victimes d'un mal nouveau: l'alcoolisme d'affaires.
3 L'alcoolisme féminin est un phénomène que beaucoup veulent nier.

2.3B Answers

Correct order: 2, 5, 7, 4, 1, 3, 6.

2.3C Answers

Possible questions might include:

- Pourquoi/Quand/A quel âge avez-vous commencé à boire?
- Qui vous a aidée à vous soigner/à vous remettre de votre maladie?
- Quand/Pourquoi/Où avez-vous déménagé?
- Quel âge avait la jeune fille/votre mari?
- Qu'est-ce que vous avez fait des bouteilles vides?
- Pendant combien de temps est-ce que vous êtes restée alcoolique?
- Quels conseils donnez-vous aux autres alcooliques?

2.3D Answers

Certaines femmes pensent qu'un petit remontant les aide à résoudre leurs problèmes mais elles peuvent bientôt prendre une habitude qu'elles ont peur de confronter. Il n'y a pas que celles qui sont au chômage ou qui habitent en HLM qui sont devenues victimes de l'alcoolisme. Il y a beaucoup d'autres facteurs qui mènent à ce fléau qui est souvent considéré comme une faiblesse. Quand une femme boit en cachette, c'est peut-être parce qu'elle a honte d'un vice qu'elle se refuse à admettre.

2.4 *Dépendance? – Mais c'est comme ça que je me décontracte!* (✓)

2.4A Answers

1 Eve **2** Marie **3** Nazim **4** Amaury
5 David **6** Hélène

2.4B Answers

Raisons de fumer

- parce qu'on a des amis qui fument (Nazim, Marie, Eve, Hélène, Amaury)
- c'est sociable (Marie, Eve)
- on se sent adulte (Marie, Amaury, David)
- c'est un rituel agréable (Marie)
- pour la frime (Eve)
- pour le plaisir (Eve, Amaury, Hélène)
- par ennui (Amaury)
- ça aide à surmonter la timidité/à se donner une contenance (Marie, Amaury)
- ça aide à soulager le stress (David)

Raisons de ne pas fumer

- ça n'apporte rien (Nazim)
- ça crée une dépendance (Marie, Hélène)
- ça conduit à la drogue (Marie)
- c'est mauvais pour les poumons/le souffle (Amaury, David)
- voulait être différente (Hélène)

2.4C Answers

1e **2**h **3**l **4**c **5**b **6**g **7**a **8**k **9**f **10**j **11**i **12**d

2.4D & E Answers

Personal response.

2.5 *Tabac: le plaisir qui tue* (✓)

2.5A & B Transcript

Sabrina Je suis d'une nature très timide et le fait de fumer m'aide parfois à dissimuler ma gêne ou mon émotion. Quand je suis dans une situation difficile, ou pour ne pas perdre contenance, j'allume une cigarette, ça m'aide ... Ce n'est pas pour ça que je me sens intoxiquée. Je ne fume pas tous les jours, d'ailleurs mes parents ne m'autoriseraient pas à le faire. Je n'ai jamais fumé en cachette, je trouve ça nul ...

Romain Personnellement, je n'ai jamais fumé et je fais la guerre à tous ceux et celles qui fument dans mon lycée ... Je pense qu'avec un peu de volonté on peut vraiment s'en passer. Mes parents n'ont jamais fumé et je crois que ça a dû m'influencer ... Je n'ai jamais compris ce que ça pouvait apporter. Ma petite amie fume beaucoup et j'essaie de l'aider à s'arrêter avant qu'elle ne soit complètement intoxiquée ...

Jérémy Contrairement à ce qu'on peut penser, les «ados» reviennent à des trucs plus sains. Ils sont très préoccupés par les problèmes d'environnement et de pollution. Moi, j'ai dit «non» une fois pour toutes à la cigarette et dans ma classe il n'y en a pas beaucoup qui fument. Je pense que c'est surtout par ennui qu'on est tenté de le faire ou par curiosité.

Clémence Je n'aime fumer que lorsque je suis avec mes amis. Pour moi le fait de fumer est un truc affectif. Ça a l'air idiot à dire mais on a l'impression qu'on appartient au même clan. C'est aussi une façon de communiquer ... Je fume deux ou trois cigarettes par jour, jamais plus et jamais toute seule. C'est un des plaisirs de la vie et je ne suis pas d'accord pour qu'on le supprime entièrement. Il faut savoir ne pas dépasser la dose, comme pour les médicaments ...

Céline J'ai commencé à fumer l'année dernière, pas vraiment par goût, simplement pour imiter mes copains, puis c'est devenu une habitude ... J'ai besoin de fumer ma cigarette à la sortie des cours, ou dans le café où je retrouve ma bande. C'est un moment sympa, et même si je sais que c'est mauvais, je n'arrive pas à m'en passer. Et puis chez moi tout le monde fume: mon frère, mon père, et même ma mère ... Je fume toujours des cigarettes légères, mais j'espère ne pas arriver au point d'être complètement intoxiquée. Je pense que là, je ferai vraiment l'effort d'arrêter ...

2.5A Answers

1 Jérémy **2** Clémence **3** x **4** Romain **5** x **6** Sabrina **7** Jérémy **8** Céline

2.5B Transcript

Quand on est dans une boum ou entre amis, c'est vraiment difficile de ne pas être tenté de fumer ... On a l'air idiot si on refuse. Beaucoup de mes copines fument, en cachette des parents bien sûr, ou quelquefois dans les toilettes du lycée. Je pense que beaucoup d'entre elles le font par snobisme, sans en éprouver un réel plaisir. Moi, je fume de temps en temps, mais c'est comme ça, pour m'amuser. J'ai trop entendu parler des dangers du tabac pour risquer de me bousiller la santé ...

2.5B Answers

1 es **2** exemple **3** difficulté/mal **4** résister **5** tentation **6** refuses **7** croit **8** mal **9** leurs **10** savent **11** sans **12** fois **13** au **14** avis **15** éprouvent **16** autre **17** sais **18** risque **19** maladies **20** trop/beaucoup

2.5C Answers

See table at foot of page.

2.5D Answers

Personal response.

2.5 Consolidation Answers

1 Chez les Français, c'est une question de ...
2 Chez la majorité, ...
3 Chez Molière, c'est très clair.
4 Chez l'individu, ...
5 Chez Depardieu, c'est un talent naturel.

2.6 *Vous fumez? Evidemment!*

2.6A Answers

1 enlève **2** provoque **3** vieillit **4** coupe **5** attaque **6** réduit **7** incommode **8** nuit **9** jaunit **10** souille **11** élève **12** est responsable **13** crée **14** augmente **15** tue **16** coûte **17** rapporte

2.6B Answers

1 terne **2** enlevée **3** vieille **4** réduction **5** jaunes; abîmées **6** élevée **7** augmentent

2.6C Answers

Personal response.

2.6 Consolidation Answers

Personal response.

Adjectif	positif/négatif/ ni l'un ni l'autre	masc. sing.	fém. sing.	masc. pluriel	fém. pluriel
cérébraux	ni l'un ni l'autre	cérébral	cérébrale	cérébraux	cérébrales
certains	ni l'un ni l'autre	certain	certaine	certains	certaines
stimulante	positif	stimulant	stimulante	stimulants	stimulantes
euphorisante	positif	euphorisant	euphorisante	euphorisants	euphorisantes
intellectuelle	positif/ni l'un ni l'autre	intellectuel	intellectuelle	intellectuels	intellectuelles
court	ni l'un ni l'autre	court	courte	courts	courtes
autres	ni l'un ni l'autre	autre	autre	autres	autres
tranquillisant	positif	tranquillisant	tranquillisante	tranquillisants	tranquillisantes
anxiolytique	positif	anxiolytique	anxiolytique	anxiolytiques	anxiolytiques
nouvelle	ni l'un ni l'autre	nouveau	nouvelle	nouveaux	nouvelles
véritable	ni l'un ni l'autre	véritable	véritable	véritables	véritables

2.7 *Les drogues et le sport* (✓)

2.7A Answers

Correct order: 4, 7, 1, 2, 5, 3, 6. (8 = distractor)

2.7B Answers

1 enfer (m) **2** corps (m) **3** esprit (m)
4 finance (f) **5** force (f) **6** impossibilité (f)
7 moralité (f)* **8** orgueil (m)
9 économie (f)** **10** certitude (f)

*in this context, *le moral* (state of mind, morale) is inappropriate, as is *la morale* (morals, ethics, moral of a story).
**in this context, *économe* (bursar, treasurer, etc.), *économiste* or *économat* are inappropriate.

2.7C Answers

1 la force; l'esprit **2** la finance **3** l'orgueil
4 l'économie; l'impossibilité **5** la moralité

1. In sport, it is not just physical strength that matters; the mind also has a part to play.
2. Nowadays, finance exerts a great deal of influence in/on/over professional sport.
3. It is arrogance on the part of certain athletes that impels them to cheat.
4. If the economy of a country is very weak it may find itself unable to take part in the Olympic Games.
5. In the old days sport was based only on morality. Money had no part to play in it.

2.7D Answers

Suggested answer.
During the Olympic Games, tests are carried out on the first four place winners in each event, and on certain other athletes chosen at random. A list of banned substances is drawn up beforehand by the I.O.C. (International Olympic Committee) and is constantly updated. Urine tests are carried out after each event by a laboratory chosen by the I.O.C. In the event of a dispute a further test is performed. If it confirms the positive result of the first one, the I.O.C. medical commission proposes sanctions. The final sanction is taken by the International Committee and can be a lifetime ban.

2.7E & F Answers

Personal response.

2.8 *Drogues: vos témoignages* (✓)

2.8 Transcript

Laurène J'ai un frère aîné qui se drogue depuis plusieurs années. Il a déjà fait deux cures de désintoxication mais à chaque fois il a replongé. Cela me fait tellement mal pour lui que j'ai la haine totale de la drogue et de tout ce qui détruit. Mon frère m'a souvent volé de l'argent pour s'acheter de la drogue. Je sais qu'il a fait aussi des choses malhonnêtes pour se procurer de l'argent. Moi, je trouve ça terrible mais je ne lui en ai jamais voulu. J'espère qu'il arrivera à s'en sortir mais je n'ai pas beaucoup d'espoir.

David Pas question de toucher à la drogue et à l'alcool. Je suis dans un lycée où la drogue circule beaucoup. C'est pas évident de dire non, il faut être assez fort mais c'est la seule solution. J'ai déjà trouvé des seringues dans les toilettes de mon lycée, ça m'a dégoûté et ça m'a fait très peur.

Antoine Cela m'est déjà arrivé plusieurs fois de fumer des joints, mais je sais que je ne prendrai jamais des drogues dures. J'ai un de mes meilleurs copains qui est mort d'une overdose l'année dernière. Il avait dix-huit ans. Cela m'a beaucoup perturbé. Je ne consomme jamais d'alcool, je ne veux pas être dépendant de ce genre de choses et je crois que beaucoup d'adolescents pensent comme moi.

Marianne Il n'y a pas très longtemps, pendant une boum des copains m'ont fait fumer un joint. J'ai accepté par curiosité mais ça ne m'a pas fait grand-chose. J'ai eu très mal à la tête après. Je ne recommencerai pas. De toute façon, je trouve ça nul de prendre de la drogue. Je ne suis pas toujours très bien dans ma peau mais je préfère essayer de régler mes problèmes autrement qu'en prenant ce genre de trucs.

Sophie Dans mon lycée, on a constitué une sorte de comité antidrogue, parce que ça circule pas mal et qu'il y a déjà eu des problèmes sérieux. La drogue me fait affreusement peur. L'année dernière, j'ai surpris mon petit ami en train de fumer avec un copain. Je l'ai très mal pris. J'ai rompu avec lui et il n'a pas compris pourquoi. Il voulait qu'on fume des joints ensemble. Il disait que c'était juste pour se décontracter, que cela n'était pas dangereux. Je n'ai pas cédé et je ne le regrette pas.

2.8A Answers

1 Antoine **2** Sophie **3** David **4** Laurène
5 Marianne

2.8B Answers

Laurène
1. aîné qui se drogue depuis plusieurs
2. totale de la drogue et de tout ce
3. qu'il a fait aussi des choses malhonnêtes pour se procurer

David
1. évident de dire non, il faut être
2. trouvé des seringues dans les toilettes

Antoine
1. m'est déjà arrivé plusieurs fois de fumer
2. être dépendant de ce genre de

Marianne
1. des copains m'ont fait fumer
2. par curiosité mais ça ne m'a pas fait
3. essayer de régler mes problèmes autrement qu'en prenant

Sophie
1 me fait affreusement
2 cédé et je ne le regrette

2.8C Answers
1 Cela m'a beaucoup perturbé.
2 Ça circule pas mal.
3 Je l'ai surpris en train de fumer.
4 Je ne lui en ai jamais voulu.
5 J'espère qu'il arrivera à s'en sortir.

2.8 Consolidation Answers
1 **a** Drugs really scare me.
b That really frightens me.
c That really makes me suffer for him.
d It didn't do much for me/It didn't affect me very much.
e Some friends made me smoke a joint.
2 **a** Ça me fait plaisir.
b Ça m'a fait réfléchir.
c Nous lui avons fait peur.
d Ça lui a fait du mal.
e Ça ne nous fait pas grand-chose.

2.8 Coin accent Transcript (M then F)
See 2.8 transcript, from «Dans mon lycée, on a constitué . . . » to « . . . Je l'ai très mal pris».

2.9 *Drogues «douces»* (✓)

2.9A Answers
1dn **2**hk **3**fp **4**co **5**bj **6**am **7**gl
(e and i = distractors)

2.9B Answers
1 produire **2** autorisation (f) **3** consommer
4 action (f) **5** avertir **6** évolution (f)
7 appliquer **8** condamnation (f) **9** stupéfier
10 interdiction (f)

2.9C & D Answers
Personal response.

2.10 *Marc, victime de l'héroïne* (*)

2.10A Answers
1 très rapidement.
2 pendant ses heures de loisir.
3 incapable de se passer d'héroïne pendant la journée.
4 afin de ne plus se droguer pendant un moment.
5 les symptômes du manque.
6 l'héroïne s'est emparée totalement de lui.
7 ne répondait pas à ses besoins.
8 vis-à-vis de lui-même.

2.10B Answers
La plupart des héroïnomanes ressemblent à Marc. Ils disent qu'ils n'ont qu'un besoin provisoire de cette poudre blanche et dangereuse mais ils comprennent bientôt qu'ils sont bel et bien accrochés. Après s'être éloigné de sa famille et de ses anciens collègues à l'agence où il avait travaillé (pendant) longtemps, il a commencé (il s'est mis) à fréquenter des gens qui, comme lui, se sentaient mal(ades) tout le temps et qui, à cause de leur dépendance, avaient perdu leur emploi. En l'espace de quinze jours, parce qu'il n'avait plus d'argent, Marc s'est mis «dealer», dans l'espoir de gagner de quoi vivre. Maintenant, pour payer sa consommation, il dépense plus de mille francs par jour.

2.11C Answers
1 **a** à **b** émissions **c** marge **d** d'emploi
2 **a** présentées **b** disent/révèlent/racontent **c** vérité
3 **a** l'histoire **b** pareille/similaire **c** familiale
4 **a** pendant **b** connaissance **c** ressemblaient
5 **a** misère **b** déjà **c** victimes

2.10D Answers
Personal response.

2.11 *L'expérience suisse* (*)

2.11A Answers
1 vrai **2** vrai **3** faux **4** n'est pas dit **5** faux
6 faux **7** vrai **8** vrai **9** faux **10** n'est pas dit

2.11B Answers
1 Recent lack of restrictions has allowed the situation to get out of control and drug use has reached unacceptable levels.
2 The Zurich authorities have decided to crack down, but at the same time the Berne authorities have recommended that the cantons attempt controlled distribution of methadone and morphine to addicts.
3 He is not in favour, or at least he is glad that this experiment is unique in Europe.
4 A centre has been opened just before Christmas, to cope with the closure of Platzspitz; buses will ferry addicts from the park to the centre for the night; pharmacists will have needle dispensers.

2.11C Answers
1 La Suisse se montre **hésitante**, ne voulant pas paraître trop **compréhensive** devant le **problème** de la drogue.
2 Pendant **toute** la journée, de **nombreux** toxicomanes se font des **piqûres**, sans que la police ne **fasse** rien.
3 On avait **interdit** aux gens d'**entrer** dans le parc après la **tombée** de la nuit.

2.11D Answers
Suggested answer.
A Zurich, des milliers de toxicomanes venus de l'Europe entière ont été attirés pendant longtemps par le Platzspitz dans le centre de la ville. Là, au grand jour et sous le regard de la police, des jeunes se piquaient, ayant reçu des seringues gratuites d'une municipalité excessivement libérale. Pourtant, les autorités, après avoir compris que la situation était devenue incontrôlable, ont maintenant décidé de changer leur fusil d'épaule. Désormais le Platzspitz connaîtra le même sort que le parc Kocher, à Berne, et sera fermé la nuit. Dans le cadre de la prévention du sida, un centre d'accueil transitoire a été créé et restera ouvert 24 heures sur 24. Mais cette mesure, bien qu'elle démontre l'inquiétude des autorités suisses, ne va pas résoudre le problème du jour au lendemain.

2.11E Answers
Personal response.

2.12 *Travail de synthèse*

Personal response.

Unité 3 *L'environnement*

3.1 *Quelles sont vos priorités?* (✓)

3.1 Transcript
Première partie
Caroline Je sais pas s'il y a quelque chose qui te préoccupe vraiment au niveau de l'écologie, en général.
Stéphane Moi, ce que je crois, c'est qu'on essaie toujours de trouver des solutions techniques à des problèmes de culture. Alors par exemple, je me dis qu'on peut imposer tous les règlements possibles et impossibles; si les gens refusent d'utiliser moins leur bagnole, s'ils refusent d'avoir* des trucs qui sont vendus dans des emballages de plastique parce que c'est plus hygiénique, s'ils refusent de changer leur mode de vie, les ... la pollution, la surproduction, ça va toujours continuer. Alors les gens voudraient avoir une espèce de changement, de plus de propreté, plus de ci de ça, mais ils sont pas prêts à payer le prix, si on veut, dans leur mode de vie, dans la façon dont ils vivent leur existence quotidienne, ils voudraient garder tout ce qu'il y a de pratique, si on veut, dans la vie moderne, technologique, et avoir l'air pur d'il y a 2000 ans. Ben, c'est pas possible.
Caroline Le Père Noël ... Alors, qu'est-ce que tu proposes comme solution? Tu voudrais rééduquer la population? Rééduquer les gens?
Stéphane Je pense qu'il faudrait que les gens soient plus ... acceptent d'avoir une vie plus simple. Alors je dis pas qu'il faut ... on peut ... Gandhi, je crois, il filait lui-même un petit bout de coton tous les jours pour bien montrer qu'il pouvait, si on veut, à la limite, s'habiller lui-même. C'est peut-être un peu exagéré. Mais je crois qu'il faut quand même essayer de couper un peu notre ... notre sophistication, notre ... la dépendance qu'on a sur la technologie, et retrouver des plaisirs plus simples.
Caroline Ça passerait par où, ça? On reprendrait les choses depuis l'école?
Stéphane Moi je pense, en gros je pense beaucoup ... je compte surtout sur l'exemple personnel.
Caroline C'est un peu utopique, ça.
Stéphane Ben, non, je dis simplement que c'est ... au contraire, je pense que c'est la ... je peux rien faire, je peux enseigner rien à personne que je fais pas moi-même. Alors je fais, je fais comme j'ai envie de faire, comme je crois que c'est bien que ça se fasse, et puis si les gens ont envie de copier mon exemple, tant mieux, sinon, tant pis. Mais moi je voudrais que ... je crois que c'est la seule façon, on peut pas imposer.
Caroline Oui, mais tu vas faire partie d'une minorité. Il y aura toujours la grande majorité, la grande vague des gens je-m'en-foutistes. Moi, je pense qu'on peut reprendre les choses dès le départ, à la racine, en commençant par les écoles, par les enfants, faire un grand programme de rééducation et de respect de l'environnement, de respect des autres, et peut-être qu'à partir de là les choses, doucement, avec le temps, progresseront.
Stéphane Je suis pas contre.
*Stéphane means to say: «... s'ils insistent pour avoir ...»

Deuxième partie
Stéphane [Il] y a quelque chose en particulier qui te préoccupe vraiment?
Caroline Oui, il y a beaucoup de choses, c'est vrai. Mais quelque chose qui me tient le plus à cœur, c'est ce qui concerne la destruction de l'environnement en Bretagne, sur les côtes bretonnes.
Stéphane Ah, l'Erika.
Caroline Par exemple, oui, ça c'est le dernier exemple en date, qui date de Noël, d'ailleurs, si je ne me trompe pas. Mais, j'en ai connu un autre parce que je suis bretonne et quand j'étais petite, j'habitais au bord de la côte bretonne dans le Finistère et il y avait eu à cette époque-là, en 1978, le naufrage de l'Amoco Cadiz. Je ne sais pas si tu en as entendu parler?
Stéphane Oui, je me souviens.

Caroline Oui, c'était très grave. En fait, ça s'est passé donc il y a plus de 20 ans, et tu te rends compte que quand tu te balades sur les rochers sur les côtes du Finistère nord, tu as toujours des traces de mazout un peu partout. Tu te rends compte? Alors, imagine l'Erika ...
Stéphane Oui. Et on se demande qui c'est qui va payer, au bout du compte, hein? Qui c'est qui devrait payer?
Caroline Oui.
Stéphane Parce que je sais, enfin je suis pas sûr sur les détails techniques, mais je sais que la plupart de ces naufrages, c'était évitable, je veux dire l'épanchement de ces ... des hydrocarbures était évitable si on avait eu des parois doubles, tu vois, sur les navires en question, alors que il y a certains pays qui exigent que les navires soient construits de cette façon-là et d'autres non. Ben pourquoi? Il faudrait que la protection, parce que c'est des territoires internationaux, la flore, la faune marine elle est internationale, parce qu'elle bouge partout, donc il faudrait que ce soit payé par tout le monde.
Caroline Exactement.
Stéphane Hein, ce serait normal et je sais pas pourquoi ...
Caroline Il n'y a pas de réglementation, tu veux dire. Parce que c'est vrai qu'au niveau de l'aviation, par exemple, il y a des réglementations au niveau international. Pourquoi pas dans la navigation?
Stéphane Alors que pour la navigation, je ne sais pas pourquoi, c'est comme si on n'arrivait pas à trouver qui doit payer à la fin, on n'arrive pas à trouver les responsabilités. Alors il y a des, ce qu'on appelle des ... comment ça s'appelle ... des navires de convenance, enfin des pavillons de convenance, c'est-à-dire on enregistre un navire dans un pays étranger qui a des réglementations moins sévères et puis du coup on peut se permettre de mettre en péril la flore marine d'un autre pays. C'est dégueulasse!
Caroline Oui, mais tu vois, les choses ne s'arrêtent pas là. Il n'y a pas seulement un problème au niveau de la responsabilité, la cause, mais il y a aussi d'énormes problèmes au niveau des conséquences. Quand tu penses, par exemple, au travail qui reste à faire, au travail de nettoyage, auquel prend part, bien sûr, la population d'abord avec les militaires, la police, les pompiers, mais avant tout ça il y a une très très mauvaise information au niveau de ... si tu veux, des ... une information de la population de la part des préfectures, on leur explique pas le danger de cette pollution.
Stéphane Alors les gens par exemple qui sont allés de bon gré, par bonne volonté, qui ont essayé de nettoyer tout ce cambouis sur les plages, on les a pas avertis qu'ils pourraient se ... mettre leur propre santé en danger.
Caroline Exactement. Et d'abord on les a pas éduqués au niveau de comment travailler. Si tu veux, ils creusaient avec leur pelle dans le sable, et à chaque fois qu'ils creusaient, leur pelle se retrouvait couverte de goudron, ce qui fait qu'ils repolluaient à chaque fois qu'ils recreusaient, le sable. Donc c'était quelque chose, un cercle vicieux finalement. Y'a ça, y'a le fait que les enfants surtout ne doivent pas avaler du sable ou toucher du sable maintenant parce que nous sommes en pleine haute saison et il va y avoir certainement des traces, bien que toutes les plages soient ouvertes. Le danger est énorme.

3.1A & B Answers
Personal response.

3.2 *Il faut protéger les plages!* (✓)

3.2A Answers

1. les touristes; les promoteurs; les élus locaux; les législateurs; les écologistes; les habitants
2. **a** les législateurs **b** les élus locaux
3. ports de plaisance; golfs; centres de thalassothérapie; commerces; résidences de luxe
4. **a** Côte d'Azur; Normandie
   b Bretagne; Vendée
5. les habitants; les gens qui aiment ces régions; les générations futures

3.2B & C Answers
Personal response.

3.3 *Nicolas Hulot: «Gérons la planète ensemble»* (✓)

3.3A–C Transcript

Première partie

J'ai pris conscience des problèmes d'environnement en parcourant le monde. A mon goût de la découverte, de l'aventure, est venue s'ajouter une véritable passion pour l'écologie. Quand on a la chance comme moi de beaucoup voyager, on s'aperçoit que nous vivons sur un bateau qui devient de plus en plus étroit et prend l'eau de toutes parts. Si l'on ne se préoccupe pas rapidement de sa réfection, il va couler et nous avec.

J'attends beaucoup du Sommet de Rio, car les questions d'environnement et de développement doivent désormais être traitées au niveau mondial. Leurs solutions passent obligatoirement par l'instauration d'un sens civique planétaire. Le Sommet de Rio aura au moins l'avantage de souligner cette vérité. Et cela même si l'on peut s'attendre à de profondes divergences entre pays riches et pays pauvres sur l'ordre des priorités et le montant des fonds à dégager. Pourtant on ne devrait plus raisonner en termes d'opposition Nord-Sud, de frontières ou de races. Si les pays riches doivent payer pour ceux qui n'en ont pas les moyens, c'est afin de sauver la planète sur laquelle nous vivons ensemble. Quand le bateau coulera, nous irons tous par le fond, que l'on voyage en première classe ou sur le ponton.

Deuxième partie

Il est important de comprendre que l'écologie ce n'est pas seulement sauver les espèces animales en voie de disparition mais d'abord se préoccuper de l'homme, des problèmes de pauvreté et de surpopulation. Si la croissance démographique continue à ce rythme, un moment viendra où la Terre ne pourra plus nourrir tout le monde. La misère que je vois dans beaucoup de pays est aussi l'expression de notre incapacité à gérer nos ressources naturelles. Pour exploiter un arbre d'essence rare d'une forêt tropicale, on n'hésite pas à couper les cent autres qui se trouvent autour et, par enchaînement, à provoquer la disparition ou la paupérisation des populations locales. L'homme est le seul être vivant à se comporter ainsi, en prédateur de lui-même.

D'une façon générale, nous surestimons la capacité de régénération de la nature. L'écologie, pour moi, est l'art de gérer nos ressources en évitant le gâchis. Nous devons également cesser de considérer la Terre comme un vaste dépotoir. Il faut que les produits soient conçus en tenant compte de leurs effets sur l'environnement et de leur élimination. Pour préserver l'avenir, il est devenu indispensable de consommer intelligemment.

La conférence de Rio va permettre un vaste débat, au plus haut niveau, sur des enjeux majeurs. Mais l'écologie n'est pas seulement l'affaire des dirigeants politiques, des industriels et des organisations spécialisées. Le combat pour préserver l'environnement concerne tout un chacun. Aussi tentons-nous, avec la Fondation Ushaïa, de faire prendre conscience aux enfants de nos responsabilités vis-à-vis de la nature. Le pari des décennies à venir est de concilier le progrès et le respect de l'environnement. Il passe par l'éducation des jeunes.

3.3A Answers

Correct order: 7, 4, 3, 1, 6, 2, 5.

3.3B Answers

1 en parcourant le monde
2 on s'aperçoit
3 si l'on ne se préoccupe pas rapidement de ...
4 l'on peut s'attendre à
5 ceux qui n'en ont pas les moyens

3.3C Answers

1 les espèces animales en voie de disparition
2 où la Terre ne pourra plus nourrir
3 le seul être vivant à se comporter
4 soient conçus en tenant compte de
5 prendre conscience aux enfants de nos responsabilités

1 It's not only (a matter of) saving endangered species of animals but, firstly, of considering human beings.
2 The time will come when the Earth can no longer feed everyone.
3 Man is the only living being to behave in this way, as a predator on himself.
4 It's essential that products are developed taking into account their effects on the environment.
5 This is why we are trying, along with the Ushaïa Foundation, to make children aware of our responsibilities towards nature.

3.3 Coin accent Transcript (M then F)

See 3.3 transcript, from «Il est important de comprendre ... » to « ... la paupérisation des populations locales».

3.3D Answers

1e **2**b **3**c **4**f **5**a **6**d

3.3E Answers

1 nombre **2** envahira/visitera **3** littoral **4** toutes **5** polluer **6** que **7** pour **8** soit **9** respectueux/soucieux **10** cherche **11** lançant **12** propreté

3.3F Answers

1 Des milliers de gens vont passer leurs vacances en France, près de la mer, et il arrive souvent qu'ils laissent beaucoup de déchets sur les plages.
2 La première étape de la campagne, c'est ...
3 L'aspect le plus important de cette campagne, c'est ...
4 ... lorsqu'il y a le plus grand nombre de touristes.
5 «Je vois sans cesse des sacs plastique./On trouve les sacs plastique partout.»

3.4 *A nous de choisir* (✓)

3.4A Answers

1 la pollution atmosphérique
2/3 personal response

3.4B Answers

1 armé de preuves

2 on croit que c'est l'air pollué qui en est la cause
3 le vent ne souffle pas
4 quand il y en a trop
5 on trouvera difficile de ne pas respirer

3.4C Answers

Suggested answer.
Pendant (Au cours de) cet hiver, nous verrons plus de cheminées d'usine émettant des fumées nocives. Quand cela se produira et que le vent ne pourra pas éliminer ces polluants, nous souffrirons tous, et certains d'entre nous auront des maladies respiratoires. Nous serons obligés de respirer un cocktail dangereux de gaz toxiques. Personne ne saurait nier que les coupables, ce sont les voitures et les déchets industriels. Bien que la situation soit atterrante, nous pouvons en tirer une leçon politique. En améliorant les chiffres et en soulignant le lien étroit entre la pollution et la maladie, nous pourrions faire des progrès. En imposant des normes sévères, nous verrions certainement des avantages financiers sans parler d'une santé améliorée pour les Européens.

3.4D Answers

Personal response.

3.5 *Sauvons la planète* (✓)

3.5A Answers

1 150 à 200 personnes **2** 60 pour cent **3** 30 pour cent **4** 8 **5** 16

3.5B Answers

1 puissant **2** atmosphérique
3 humain/humanitaire **4** privé **5** planétaire
6 progressif **7** tassé

3.5C Answers

Pendant les décennies à venir, les pays occidentaux, qui ne sont pas fichus actuellement de développer des ressources renouvelables, ne disposeront pas d'énergie pour les gens qui y habitent. Dans les pays en voie de développement, on connaît beaucoup de problèmes et, malgré l'amélioration atteinte dans le niveau de l'enseignement, l'écart entre l'Ouest industrialisé et ses voisins du tiers monde reste énorme. Le taux de natalité galopant dans beaucoup de pays africains, asiatiques et sud-américains fait rire jaune.

3.6 *Etes-vous coupable?*

3.6A–C Answers

Personal response.

3.7 *La Journée de la Terre*

3.7 Transcript

Fabrice Bien sûr! On va tous se sentir concernés par une manifestation de ce genre. Je regarderai tout ça ce soir à la télé. Mais je ne suis pas sûr que ça fera bouger les gens, même si maintenant ils semblent faire plus attention à la nature. Moi, je me sens motivé par l'écologie, et il faut qu'il y ait des gens passionnés. Sans ça rien ne changera.

Isabelle Je ne me sens pas particulièrement mobilisée par tout ce qui touche l'environnement. La seule chose que je fais, c'est de prendre de l'essence sans plomb! Mais est-ce que ça changera quelque chose pour la couche d'ozone que je prenne une autre marque de laque? Si vraiment c'est important, alors il faudrait imposer des mesures, ne pas compter sur la bonne volonté des gens.

Richard Oui, c'est très bien pour une prise de conscience. Les problèmes de pollution, de couche d'ozone, deviennent très graves. Il est essentiel que tout le monde soit convaincu. En Suisse, on fait très attention à ces questions. Mais une Journée de la Terre . . . d'abord, on n'a pas vraiment été informés là-dessus, et ensuite, est-ce que ça peut vraiment apporter un plus?

Michel Moi, tous ces problèmes me dépassent! Mais je crois que les jeunes devraient se sentir motivés et décider de se prendre en charge. Il y a beaucoup de choses à faire, et j'espère que l'on saura régler ces problèmes de nature, de pollution, qui sont vraiment graves. Il faut tout faire pour que ça aille mieux dans l'avenir, pour nos enfants.

Monique Oui, c'est un sujet qui intéresse tout le monde. Les enfants me paraissent très concernés. Comment peut-on vivre dans un environnement pollué à ce point? Pour moi qui viens de Pierrefitte, Paris est très touché par la pollution, et nous sommes tous intéressés à agir. C'est une bonne chose de faire cette journée, car il sera difficile de changer les mentalités.

3.7A Answers

1 Monique **2** Richard **3** Fabrice **4** Isabelle
5 Isabelle **6** Richard **7** Richard **8** Fabrice
9 Richard **10** Michel

3.7B Answers

Personal response.

3.7C Answers

1 On va tous se sentir concernés.
2 Il faut qu'il y ait des gens passionnés.

3 tout ce qui touche l'environnement
4 il faudrait imposer des mesures
5 Il est essentiel que tout le monde soit convaincu.
6 On n'a pas vraiment été informés là-dessus.
7 Tous ces problèmes me dépassent!
8 pour que ça aille mieux dans l'avenir
9 C'est un sujet qui intéresse tout le monde.
10 Paris est très touché par la pollution.

3.7 Consolidation Answers

1 Futur proche: on va tous se sentir
Futur: je regarderai; ça fera bouger; rien ne changera; ça changera; on saura; il sera difficile.
Conditionnel: il faudrait; les jeunes devraient

2 **a** Nous ne regarderons pas les publicités.
b Tout changera.
c Nous ne changerons pas.
d On saura (Nous saurons) résoudre la dispute.
e Il ne sera pas difficile de décider.
f Le public devrait se sentir concerné.
g Nous allons nous sentir inquiets.
h On devrait suggérer d'autres possibilités.

3.8 *Ayons des réflexes écologiques* (✓)

3.8A Answers

Suggested answer.

1 peuvent sauver la nature.
2 s'appelait Cousteau.
3 ne puissent rien faire pour aider à protéger l'environnement.
4 l'environnement serait moins touché.
5 tant à l'extérieur qu'à l'intérieur.
6 l'on gaspille beaucoup d'énergie électrique.
7 pour ne pas perdre d'électricité.
8 elles seraient à prendre par égard aux générations futures.

3.8B Answers

Suggested answer.

But what can ordinary people like us do to help effectively? Well, saving nature isn't as difficult as you might think. It starts with straightforward little things that you can do yourself and that you can teach your children, of course, so that they may be, tomorrow, the major beneficiaries of this struggle for life. So, today more than ever, in order to combat coastal pollution, to avoid, also, wasting energy, you must think green!

You'll see, there's nothing really complicated (about it). It's just a matter of simple precautions to take in (your) everyday life which, if they are carried out by each and every one of us thousands or millions of times, can safeguard our environment which is under such threat.

3.8C Answers

Personal response.

3.8 Consolidation Answers

Comparatifs et superlatifs

plus que jamais
plus de place
moins de bière
moins chaud que nécessaire
ils ne sont pas si faciles

A + l'infinitif

c'est simple à faire
difficile à apprendre
les précautions à prendre
les erreurs à ne pas commettre

Adjectif/Verbe + préposition inattendue

le temps réservé à l'interview
s'occuper de l'entretien

Subjunctive

1 Il faut qu'il y ait des gens passionnés.
2 Que je prenne une autre marque de laque.
3 Il est essentiel que tout le monde soit convaincu.
4 Pour que ça aille mieux.
5 Il semblerait que cette maladie soit née là.
6 Il n'est pas sûr que j'aie raison.
7 Il est à craindre qu'apparaissent des situations explosives.
8 Pour qu'ils soient demain les grands bénéficiaires.

3.9 *L'argent manque pour dépolluer la France* (✓)

3.9A & B Transcript

Les Français sont maintenant très soucieux de la qualité de leur environnement. Ils sont très attachés à leur cadre de vie et ils souhaitent le conserver dans les meilleures conditions possibles. Ils sont maintenant très attentifs quand des usines s'ouvrent, ou des carrières, et vérifient qu'il n'y aura pas de pollution ou de nuisance particulières. Il y a aussi des lois qui ont été mis, mises en place depuis 1975 qui font que tout cela est maintenant bien contrôlé. Mais, dans le passé, et notamment dans les années de reconstruction après-guerre et du développement qui a suivi, les choses étaient bien différentes, et de très nombreuses usines qui sont maintenant désaffectées ont été créées qui ont pollué les, nos régions françaises. Des décharges sauvages ont été mises en place, des carrières ont été ouvertes qui sont maintenant abandonnées, et nous avons maintenant de nombreux, de nombreux sites pollués qu'il faut nettoyer, qu'il faut dépolluer. C'est un réel problème, on évalue à près d'un millier le nombre de sites qu'il faut maintenant nettoyer. Dans 78% des cas les pollueurs sont connus, ils sont identifiés et ils sont donc responsables et vont devoir payer les opérations de dépollution. Mais il y a d'autres cas de sites orphelins pour lesquels on ne sait pas qui est responsable ou bien peut-être qu'il s'agit d'entreprises qui ont maintenant disparu. Et dans ce cas-là c'est la collectivité qui doit financer ces opérations de nettoyage. C'est un coût très important pour la société française puisqu'on évalue que dans le prochain quart de siècle il faudra environ débourser 20 milliards de francs. L'Etat a cherché à financer ces, ces travaux de dépollution en instituant une taxe sur les déchets industriels en 1995 mais cette taxe rapporte chaque année environ 200 millions de francs. C'est insuffisant. Ça ne permet que de traiter environ 20% des zones à risque et des zones qui posent problème. Il est bien évident que c'est un grave problème auquel le ministre de l'environnement est confronté et qu'il doit trouver une, d'autres sources de financement pour résoudre ce problème aigu.

3.9A Answers

1 anti-pollution laws brought in
2 known polluters
3 francs: amount that the State will have to spend on cleaning-up operations over the next 25 years
4 tax on industrial waste introduced
5 francs: revenue brought in by this tax
6 zones at risk and problem areas that can be treated with the proceeds from the above tax

3.9B Answers

1 quand des usines s'ouvrent, ou des carrières,
2 et notamment dans les années de reconstruction après-guerre
3 on évalue à près d'un millier le nombre de sites
4 ou bien peut-être qu'il s'agit d'entreprises
5 une, d'autres sources de financement pour résoudre ce problème

3.10 *Passer des mots aux actes*

3.10A Answers

1d **2**f **3**c **4**a **5**e **6**g **7**b

3.10B Answers

1 trop **2** militer **3** retour **4** forcené
5 algues **6** court **7** prêt **8** exterminer
9 quotidien **10** noyer **11** ordures **12** galère
13 villes **14** échappement **15** tofu **16** favori
17 chance **18** bœufs

3.10C Answers

Personal response.

3.11 *Travail de synthèse*

Personal response.

Unité 4 *la France multiculturelle*

4.1 *Aperçu historique: l'affaire Dreyfus* (*)

4.1A Answers

1 15 octobre 1894 **2** 13 janvier 1898
3 9 septembre 1899 **4** 11 janvier 1898
5 5 janvier 1895 **6** 17 janvier 1895

4.1B Answers

1 Mercier **2** Bertillon **3** Clemenceau
4 A. Dreyfus **5** Drumont/Daudet **6** Picquart
7 Lazare **8** Esterhazy **9** Zola **10** Henry
11 Herzl

4.1C–E Transcript (with questions for reference)

Alfred Dreyfus, en 1894, était officier de l'armée française. On lui reprochait d'être un traître à la patrie! Simplement parce qu'il était juif... Ecoutez son histoire.

[**Question** Comment cette affaire a-t-elle commencé?]

A. Dreyfus J'étais capitaine d'artillerie à l'état-major de l'armée. J'avais 35 ans, une femme et deux jeunes enfants, un bel avenir devant moi. Un matin, mes chefs me convoquent. Sans explication, je me retrouve accusé de haute trahison, et condamné aux travaux forcés. En plus, on m'a «dégradé»: un officier m'a retiré mes galons en public et a brisé mon sabre. Un moment atroce!...

[**Question** Que s'était-il passé pour en arriver là?]

A. Dreyfus C'est rocambolesque. Une espionne travaillant pour les Français avait fouillé les corbeilles à papier de l'ambassade d'Allemagne. Elle avait trouvé un «bordereau» qui livrait des renseignements «secret Défense» sur notre armement. Nos services secrets ont cherché le traître. Ils m'ont désigné, moi! On avait soi-disant reconnu mon écriture. En plus, j'étais de famille juive. Or certains généraux ne voulaient pas de juifs haut gradés dans l'armée. Pour eux, les juifs resteraient toujours des étrangers, même installés en France depuis des générations.

[**Question** C'était le cas de votre famille?]

A. Dreyfus Oui. Mon père avait fondé une filature de coton en Alsace. Ma famille était française et fière de l'être.

[**Question** Malgré cela, vous faisiez un coupable idéal?]
A. Dreyfus Apparemment... Pendant ce temps, le vrai coupable se cachait. Jusqu'au jour où le colonel Picquart, nouveau chef des services secrets, l'a découvert en reprenant l'enquête: il s'agissait d'Esterhazy, officier corrompu. Ma femme Lucie, mon frère et quelques amis ont repris espoir. Ils remuaient ciel et terre pour ma défense.
[**Question** On vous a innocenté?]
A. Dreyfus Pas si vite! Mes ennemis ne voulaient pas que l'armée reconnaisse ses torts. D'après eux, cela l'aurait affaiblie. Ils ont continué à m'accabler avec des faux documents.
[**Question** Que faisait-on des principes affirmés par la Révolution française?]
A. Dreyfus On s'en fichait de tout ça! Esterhazy a été jugé, mais... acquitté. Et le gouvernement a osé déclarer: «Il n'y a pas d'affaire Dreyfus». Moi, j'ai appris tout ça bien plus tard.
[**Question** Pourquoi ce retard?]
A. Dreyfus A 7000 km de là, coupé du monde, au bagne, en Guyane, sur l'île du Diable. Bien nommée! Ma case grouillait de fourmis et d'araignées.
[**Question** Vous y êtes resté longtemps?]
A. Dreyfus Cinq ans. J'y étais depuis trois ans quand Esterhazy a été acquitté, le 11 janvier 1898. Deux jours plus tard, le célèbre écrivain Emile Zola lançait «J'accuse». Il interpellait tous ceux qui s'acharnaient contre moi. Il a mis toute son énergie, tout son talent à crier mon innocence. Il a réveillé l'opinion publique ... Ça lui a valu un an de prison, mais il s'est enfui en Angleterre! Grâce à lui, des gens ont exigé qu'on reprenne mon procès à zéro.
[**Question** Qu'est-ce qui s'est passé ensuite?]
A. Dreyfus Il a fallu attendre encore un an et demi. Tout le pays se disputait sur l' «Affaire». J'ai fini par être rejugé et... recondamné, si, si!, mais le président de la République a annulé ma peine. Enfin, en juillet 1906, l'Etat m'a réhabilité: il a reconnu son erreur et m'a déclaré innocent. L'armée m'a repris dans ses rangs. J'ai même été décoré de la légion d'honneur! Hélas, Zola ne l'a pas su: il était mort entretemps ...

4.1C Answers

Correct order: d, h, g, a, f, b, c, e, i

4.1D Answers

Il était capitaine d'artillerie à l'état-major de l'armée. Il avait 35 ans, une femme et deux jeunes enfants, un bel avenir devant lui. Un matin, ses chefs le convoquent. Sans explication, il se retrouve accusé de haute trahison, et condamné aux travaux forcés. En plus, on l'a «dégradé»: un officier lui a retiré ses galons en public et a brisé son sabre. Un moment atroce!

4.1E Answers

Personal response.

4.1F Answers

1 telle **2** notamment **3** affirmé **4** craignant **5** grâcie **6** satisfait **7** pour **8** rende **9** grade **10** élevé **11** fait **12** statue **13** figurer **14** fréquenté **15** torts

4.2 *Un Sac de billes* (✓)

4.2 Transcript

Un Sac de billes

– Enfin, dit-il, il faut que vous sachiez une chose. Vous êtes juifs mais ne l'avouez jamais. Vous entendez: JAMAIS.

Nos deux têtes acquiescent ensemble.

– A votre meilleur ami vous ne le direz pas, vous ne le chuchoterez même pas à voix basse, vous nierez toujours. Vous m'entendez bien: toujours. Joseph, viens ici.

Je me lève et m'approche, je ne le vois plus du tout à présent.

– Tu es juif, Joseph?

– Non.

Sa main a claqué sur ma joue, une détonation sèche. Il ne m'avait jamais touché jusqu'ici.

– Ne mens pas, tu es juif, Joseph?

– Non.

J'avais crié sans m'en rendre compte, un cri définitif, assuré.

Mon père s'est relevé.

– Eh bien voilà, dit-il, je crois que je vous ai tout dit. La situation est claire à présent.

La joue me cuisait encore mais j'avais une question qui me trottait dans la tête depuis le début de l'entretien à laquelle il me fallait une réponse.

– Je voudrais te demander: qu'est-ce que c'est qu'un juif?

Papa a éclairé cette fois la petite lampe à l'abat-jour vert qui se trouvait sur la table de nuit de Maurice. Je l'aimais bien, elle laissait filtrer une clarté diffuse et amicale que je ne reverrais plus.

Papa s'est gratté la tête.

– Eh bien, ça m'embête un peu de te le dire, Joseph, mais au fond, je ne sais pas très bien.

Nous le regardions et il dut sentir qu'il fallait continuer, que sa réponse pouvait apparaître aux enfants que nous étions comme une reculade.

– Autrefois, dit-il, nous habitions un pays, on en a été chassés alors nous sommes partis partout et il y a des périodes, comme celle dans laquelle nous sommes, où ça continue. C'est la chasse qui est réouverte, alors il faut repartir et se cacher, en attendant que le chasseur se fatigue.

4.2A Answers
1c **2**f **3**a **4**h **5**e **6**b

4.2B Answers
1 Pour lui faire comprendre l'importance de ne pas révéler sa religion.
2 Joseph n'a pas la moindre idée de ce que signifie être juif.
3 Leur destinée est d'être toujours chassés, de ne pouvoir s'installer nulle part.

4.2C Answers
1 **a** tous **b** oui **c** temps
2 **a** première **b** vie **c** levé **d** sur
3 **a** laissé **b** cri **c** réaliser/comprendre **d** faisais
4 **a** commencé **b** parler **c** voulais **d** demander

4.2D Answers
Personal response.

4.3 *C'est dans le passé . . .* (✓)

4.3A Answers
1d **2**f **3**e **4**h **5**a **6**i
(b, c and g = distractors)

4.3B Answers
1 originaires d'Afrique du Nord/d'Algérie
2 un ensemble de maisons improvisées, sans planification, où habitent des gens défavorisés
3 le fait d'être admis, assimilé dans la population indigène d'un pays
4 les enfants d'immigrés
5 un travail qui n'est pas permanent

4.3C Answers
1b **2**c **3**c **4**a **5**b **6**c **7**a **8**b

4.3D Answers
Suggested answer.
- Qu'est-ce que vous pensez du film?
- Pourquoi êtes-vous en colère?
- Où habitez-vous?
- Quel effet le film a-t-il eu sur vous?
- Pourquoi avez-vous perdu foi en l'école?
- Quel travail faites-vous?

4.3E Transcript
Au pays, mon père travaillait dans les champs des colons et n'était payé qu'en kilos de blé. Il est parti en France en 1950 pour gagner sa vie. J'avais six ans quand je l'ai rejoint, Azouz n'était pas encore né. Je m'en souviens comme si c'était hier parce que c'était la première fois qu'on prenait le train et l'avion. Mon père s'était installé à Villeurbanne, dans un «chaâba» – ça veut dire un trou entouré d'arbres – sans eau courante, ni électricité ni WC. C'était la misère, mais comme on vivait déjà comme ça en Algérie, ça ne nous a pas vraiment changés. A l'école mes camarades se moquaient de moi parce que j'étais bien bronzée avec des cheveux bouclés et je ne parlais pas un mot de français. Le soir, je courais chez Louise, une voisine du chaâba. C'était la première Européenne qui m'a montré de l'amitié. Je lui demandais de m'expliquer des mots que j'avais entendus dans la journée. Elle m'a fait découvrir le dictionnaire et la lecture. Elle a été extraordinaire. Bientôt, toutes les familles me demandaient de venir leur expliquer toutes sortes de documents, y compris les bulletins scolaires, ce qui me mettait dans une position délicate vis-à-vis des copains! Puis j'ai découvert un autre monde en allant chez Louise. Elle m'avait prêté un rouge à lèvres et je m'en mettais secrètement sur le chemin de l'école, puis le soir je l'enlevais avant d'arriver au chaâba. Il y avait comme une frontière. A l'école, j'étais en France et au chaâba en Algérie. Même quand j'étais mariée et adulte je ne me maquillais pas quand j'allais voir mes parents. A cause de Louise je ne suis pas restée une jeune fille soumise. Par chance mon père respectait la femme européenne qu'elle était, alors quand elle est intervenue pour que je fasse une formation de secrétaire il l'a écoutée. Par contre, c'est mon père qui a arrangé mon mariage. Je ne le voulais pas mais j'ai toujours eu trop peur pour oser le dire. Et voilà, aujourd'hui je suis secrétaire à Lyon. Je vis depuis 22 ans dans une tour du quartier Saint-Jean à Villeurbanne avec électricité, évier et sanitaire! J'ai trois enfants et l'aînée, Leïla, a 20 ans et cherche du travail.

4.3E Answers
1 in the fields belonging to colonials; paid in kilos of corn/wheat
2 first time she'd been on a train or plane
3 teased/bullied because she was dark, had curly hair and didn't speak a word of French
4 she was the first European to show her friendship; introduced her to reading and dictionary
5 she was called on to translate her schoolmates' reports
6 Louise introduced her to it; she wore it on the way to school but removed it before she got home; even when she was married she never wore make-up when she visited her parents
7 that she train to be a secretary
8 her father arranged her marriage

9 in a tower block with all mod. cons.
10 she has three children; eldest called Leïla is 20 and is looking for work

4.3F Answers
1 départ **2** son **3** lieu **4** souvenir **5** clair **6** où **7** quitté **8** pour **9** culturelles **10** matérielles **11** lui **12** amitié **13** demandait **14** expliquer **15** comprenait **16** allait **17** maquillage **18** enlever **19** chaque **20** cours **21** reçue **22** obligée **23** soumettre **24** paternelle **25** osé

4.3G Answers
Personal response.

4.3 Coin accent Transcript (M then F)
See 4.3E transcript, from «Au pays, mon père travaillait ... » to « ... chez Louise, une voisine du chaâba».

4.4 *Marcel parle de l'immigration en France* (✓)

4.4 Transcript

Première partie

Interviewer Est-ce qu'il y a, à votre avis, Marcel, un problème en ce qui concerne l'immigration en France?

Marcel Je pense que c'est un gros problème, un problème de conscience, en fait. Bon, je peux, on peut distinguer deux choses. Donc, d'une part, euh, l'immigration, ceux qui arrivent actuellement, c'est-à-dire on est, qui est, ... des pays pauvres et des gens qui sont dans la misère, c'est une situation économique très difficile à vivre – et qui voudraient immigrer en France, vu la richesse enfin relative, mais une richesse enfin assez importante, de notre pays. Et, donc un problème de conscience, parce que notre société n'est pas prête à les accueillir, et on n'est pas prêt à partager ses richesses, donc essayer de trouver, de voir, comment on peut améliorer le sort, le sort de ces personnes, mais, ... ce qui ne peut pas passer par l'accueil ou l'intégration dans notre société qui serait une sorte d'Utopie.

Interviewer Bon, et vous, vous personnellement, vous avez rencontré, ... vous avez quand même des amis soit Nord-Africains, soit ... d'une minorité, quoi?

Marcel Je suis originaire d'une région, le Nord, qui compte un fort pourcentage de Nord-Africains mais aussi d'immigrés d'autres origines, Italiens, Portugais, parfois qui sont là depuis un plus grand nombre d'années. Ce qui s'explique par le fait que c'était la première région industrialisée de France et donc il y avait besoin d'une main-d'œuvre, cette main-d'œuvre était attirée de, de toute l'Europe, et de Nord-Afrique.

Interviewer Et, Marcel, pour les immigrés qui sont déjà en France, quels sont leurs problèmes?

Marcel Ben, le problème, en fait, est général; c'est un problème d'exclusion. Alors, l'exclusion est d'autant plus facile de la société parce que c'est des gens qui souvent ont une culture différente et donc des points d'attache beaucoup plus ténus avec la société française. Donc en général ce sont parmi les premières personnes qui se retrouvent exclues par le chômage, et donc qui se retrouvent dans la misère, qu'elles se retrouvent habiter les banlieues, ces ghettos ... Ce n'est pas non plus l'apanage de l'immigré dans le sens où il y a certaines catégories sociales françaises qui vivent aussi cette exclusion. Donc, on peut le placer dans une façon plus générale dans ce contexte de l'exclusion de la société de certaines tranches de la population.

Deuxième partie

Interviewer Est-ce que l'immigration provoque des problèmes sociaux?

Marcel Oui, elle en provoque pour les immigrés qui arrivent encore, certaines personnes qui arrivent de façon illégale, parce que maintenant il est plus, enfin pour certaines populations, il n'est plus possible d'immigrer en France pour travailler. Donc, ils arrivent de façon illégale, donc dans des conditions catastrophiques, et souvent ils sont exploités par des gens pour leur travail. Et donc ça c'est un vrai problème social, parce que c'est des gens qui vivent cachés, terrés, qui sont sous-payés, exploités, donc effectivement ça pose un problème social sur notre territoire. D'où nous devons prendre conscience, essayer de faire quelque chose parce que c'est des situations qui sont intenables. Mais est-ce dire que l'immigration provoque des problèmes sociaux? Quand on parle des gens qui sont installés en France, les gens qui sont toujours des immigrés, dans le sens qu'ils (ne) ... ils ne sont pas forcément français ou qu'ils ont acquis récemment la nationalité française, mais qui sont en France depuis un certain nombre d'années et qui sont venus pour y travailler et qu'on a été rechercher pendant une certaine période dans les années 60, dont on a organisé la venue en France, parce qu'on avait besoin de leur travail, donc est-ce qu'ils provoquent des problèmes sociaux, dans le sens où, actuellement, ces personnes ont une unité sociale qui est beaucoup moindre que celle qu'elles avaient quand on les a fait venir? Non, il y a un problème, un problème social de ces personnes-là, mais elles ne le provoquent pas, c'est, . . . elles ne sont pas la source de ça, le problème social, c'est le problème de la situation économique, du chômage, et l'inadaptation de ces gens-là par rapport au marché du travail.

Interviewer Alors, comment expliquez-vous la xénophobie dont on accuse les Français?

Marcel Bon, il faut voir les choses en face. Simplement, c'est une réalité en France, la xénophobie et le racisme dont on a tendance à nous accuser. Dans les faits, on peut le voir, il y a un racisme qui existe, . . . le problème qui se pose est celui d'une société qui change, qui évolue, et qui est en crise – enfin le mot «en crise» veut dire «qui change, qui évolue». Et donc il y a une certaine partie de la population qui, réactionnaire, se raidit, et donc trouve dans les immigrés effectivement le reflet des mauvais côtés de ce changement, dans le sens qu'ils sont les exclus de ce changement, à l'instant – ce sont les boucs émissaires types. Et aussi une autre, une autre partie de la population qui vit une situation très difficile et donc qui a, qui a besoin de, d'un, qui a besoin – ce n'est pas une justification le fait de dire qu'il y a besoin, mais qui a besoin d'exutoire, et trouve dans les immigrés ces gens qui sont différents, qui ont des modes de vie différents, un bouc émissaire aussi.

4.4A Answers

1 et des gens qui sont dans la misère
2 parce que notre société n'est pas prête à
3 qui compte un fort pourcentage de Nord-Africains
4 c'était la première région industrialisée
5 c'est des gens qui souvent ont une culture différente
6 dans le sens où il y a certaines catégories sociales françaises qui

4.4B Answers

1 de façon illégale
2 dans des conditions catastrophiques
3 nous devons prendre conscience
4 qu'on a été rechercher
5 quand on les a fait venir
6 ils sonts les exclus de ce changement

4.4C Answers

Personal response.

4.4 Coin accent Transcript (M then F)

See 4.4 transcript *deuxième partie*, from «Quand on parle des gens qui sont installés . . . » to « . . . celle qu'elles avaient quand on les a fait venir».

4.5 *Un Tunisien parle de sa vie* (✓)

4.5A Answers

Correct order: 5, 2, 4, 7, 8, 1, 3, 6.

4.5B Answers

1 l'adaptation **2** hors du commun **3** d'emblée
4 définitivement **5** dérisoires **6** malice
7 se promener **8** comme sa poche
9 avec brio **10** son terrain d'action

4.5C Answers

Suggested answer.

With a twinkle in his eye, a broad smile beneath his moustache, and a slightly plump physique, Sadok Kattoursi, 53, from Tunisia, immediately inspires sympathy/cuts a sympathetic figure. However, it is true, nobody pays attention to him. At least not when he is in his working clothes: a yellow heavy cloth overall bearing, in big letters, the acronym of his company, COMATEC. His area of operations: the platforms and the corridors/passageways of the métro which he knows like the back of his hand. "Since I arrived in France/since coming to France," he explains, "I've always been in (the) cleaning (business). I've never tried to do anything else. But I've changed companies several times, while almost always staying in the Métro."

4.5D Answers

Suggested answer.

- Pourquoi les Français ne veulent-ils pas faire ce travail?
- Où est-ce que vous travaillez, exactement?
- Comment s'appelle votre entreprise?
- Depuis quand est-ce que vous faites ce travail?
- Est-ce que vous avez pensé changer de métier?
- Vous avez toujours travaillé pour la même entreprise?
- En quoi consiste votre travail?
- Quelles sont vos conditions de travail?
- Quels avantages/inconvénients est-ce qu'il y a?
- Où habitez-vous?
- Combien de personnes est-ce qu'il y a dans votre famille?
- A votre avis, quel est le plus grand problème pour les immigrés en France?
- Comment est-ce que vous vous entendez avec vos collègues?
- Pensez-vous rester en France?
- Qu'est-ce que vous conseillez aux (autres) Tunisiens?

4.5 Consolidation Answers

1 Les Français ne veulent pas faire ce métier.
2 Nous, personne ne nous connaît.

3 Personne ne lui prête attention.
4 Je n'ai jamais cherché à faire autre chose.
5 La Comatec n'a rien à envier à la Légion étrangère.
6 Nous n'avons pas connu de grandes restructurations.
7 Ils n'ont pas fait venir leur famille.
8 On ne gagne pas beaucoup ici.
9 Je ne m'éloignerai jamais d'eux.
10 Ils ne savent pas ce qui les attend.

4.6 *Noir ou Blanc?* (✓)

4.6A Answers
1 amer **2** plein/des tas **3** douloureux
4 différent **5** mignonne **6** refus **7** vraies
8 gâtent **9** d'occasion **10** timide

4.6B Answers
1g **2**f **3**c **4**h **5**a **6**i **7**b **8**e **9**j **10**d

Correct order: 3, 7, 4, 6, 1, 9, 5, 10, 2, 8.

4.6C Answers
1 **a** dépit **b** confiance
2 **a** veulent **b** magasins
3 **a** quant **b** amoureuse **c** vérité
d fausses/inventées/factices
4 **a** autre **b** camarades **c** passent
5 **a** possible **b** amoureux **c** puisse **d** noire

4.6D Answers
Personal response.

4.6 Consolidation Answers
1 jamais aucun d'eux n'est allé plus loin; il ne se passe jamais rien; je n'ai jamais eu un seul flirt; je n'en ai jamais parlé à personne; mes copines n'ont que des mobs d'occasion; ça ne changera rien; jamais aucune ne m'a invitée; ça ne sera plus des bobards
2 **a** Je ne suis jamais allé(e) plus loin.
b Il ne se passait jamais rien.
c Personne ne l'invitait à sortir.
d Nous n'en parlerons jamais.
e Elle n'avait jamais aucun problème.
f Aucun d'eux n'est venu.
g Je ne veux plus le voir.
3 **a** Nelly, you should go into films.
b Friends, when you read my story, don't hold it against me.
c I would so much like to be white too.
d They would feel it too badly (for me).
e Whatever they may say …
f … I already know, and it won't change anything.
g I'll get their reactions in 'You are not alone', I know.
h But really, the parents ought to read it too.
i So, when we see each other again …
j … I'm sure he will kiss me.
k And when I tell my friends …
l … it won't be a case of making it up any more, and perhaps …
m… his love will help me to accept the colour of my skin.

4.7 *Un double défi* (✓)

4.7A Answers
1c **2**g **3**b **4**e **5**f **6**d **7**a

Correct order: 4, 2, 6, 3, 7, 5, 1.

4.7B Answers
1 b désobéir **2 a** menacé **3 a** recule
4 c neutre **5 b** fraternelle **6 a** l'humanité
7 a fallu **8 b** traits **9 a** l'autre **10 c** oublié
11 c génération **12 b** faire

4.7C Answers
Noms:
1 malheur (m) **2** construction (f)
3 profondeur (f) **4** déception (f)
5 menace (f) **6** neutralité (f)
7 responsabilité (f)

Adjectifs:
a affamé **b** humain; humanitaire **c** méfiant
d peureux; apeuré **e** soupçonneux **f** luxueux
g abondant

4.8 *Une confrontation violente* (✻)

4.8A Answers
Correct order: 10, 12, 5, 8, 3, 9, 2, 7, 4, 1
(6 and 11 = distractors)

4.8B Answers
1a **2**b **3**c **4**b **5**a

4.8C Answers
La semaine dernière un groupe d'une cinquantaine de Nord-Africains, descendants de harkis, a manifesté dans une banlieue de Narbonne. Ils ont incendié plusieurs voitures et ont dressé une barricade. La police est intervenue et a[1] arrêté trois des manifestants. Plus tard dans la journée leurs amis/camarades ont lancé un ultimatum, menaçant de faire appel à des renforts et de détruire la ville[2] s'ils n'étaient pas libérés. Après avoir tenté en vain de parlementer avec les jeunes gens, les CRS ont enlevé le barrage/la barricade et le calme a été rétabli.[3]

[1] alternative version: «Les forces de l'ordre sont intervenues et ont …»
[2] alternative version: «mettre la ville à feu et à sang»
[3] alternative version: «est revenu»

4.8 Consolidation Answers

- des cocktails molotov avaient été lancés
- un cocktail molotov a été lancé
- neuf CRS ont été légèrement blessés
- un des manifestants a été interpellé
- trois des CRS blessés ont dû être hospitalisés
- trois voitures sont incendiées
- trois jeunes ... sont interpellés
- ils sont «bien connus»
- son entrée dans la cité est saluée
- cinq fonctionnaires sont légèrement blessés
- doit être conduit à l'hôpital

- On the night of Friday/Saturday, the trouble which had been disrupting the life of the Oliviers estate since Thursday, when petrol bombs had been thrown at a Leclerc supermarket, suddenly became a direct confrontation between the law and fifty or so young people.
- They set three cars on fire and a petrol bomb was thrown at an employment agency (ANPE) in the town centre.
- Nine CRS men were slightly injured by stones and one of the demonstrators was arrested.
- Three of the injured CRS men had to be taken to hospital.
- Three cars were set on fire in a car park in the St-Jean-St-Pierre area, classified as one of the 400 most 'undesirable' areas in France.
- Three young people aged between 20 and 25 were arrested.
- They are 'well known' to the police and had 'between 1.5 and 2g of alcohol in their blood. Their arrival in the quarter was greeted by stone-throwing.
- Five policemen were slightly injured.
- One of them, whose tibia was damaged, had to be driven to hospital.

1 Elle s'est transformée en champion.
2 Plusieurs accidents se sont succédés.
3 La foule s'est échauffée.
4 Les manifestants se sont déplacés sur la place.

4.9 *Témoignage d'une Sénégalaise en France* (✓)

4.9A Answers

1 They are slim, tall and pretty.
2 Her agent told her it was necessary if she wanted to obtain work.
3 She felt like giving up modelling.
4 Whilst white models see beauty as external, Fania views it as something internal, as respect for what one is, deep down.

4.9B Answers

1 qu'elle ne soit pas
2 m'était impossible de le
3 impossible de te prendre ... tu as des
4 obligée de me faire
5 fait arrêter de travailler
6 j'ai recontré J.-P. Gaultier je suis redevenue (plus)

4.9C Answers

Personal response.

4.9D Answers

Il semblerait que la seule différence entre les mannequins noirs et blancs, c'est que les noires ont des problèmes avec leurs cheveux. Tel est le problème de Fania. Elle a décidé qu'elle préférerait lâcher son métier que d'abîmer ses cheveux en les défrisant. En plus, son visage a été maquillé plusieurs fois avec un bariolage de couleurs, ce qui ne lui va pas. Après sa rencontre avec J.-P. Gaultier, elle a été appréciée et il lui a rendu sa confiance en elle. Il essaie de l'habiller pour qu'elle soit belle – et noire. Fania insiste que la beauté ne se trouve qu'en soi et que changer la couleur de sa peau ne sert à rien. Maintenant elle ne changerait rien de son apparence car elle est convaincue/persuadée de l'importance d'être naturelle.

4.9E–G Transcript

Première partie

Je pensais pas que j'étais raciste mais en ce moment, je suis en train de me demander. J'habite à côté d'une Algérienne, ou plutôt j'habitais, elle s'appelle Malika et avec son mari et ses quatre enfants ils avaient l'air vraiment bien intégrés à la France. Elle a le même âge que moi, 21 ans, et puis voilà que le frangin de son mari vient s'installer chez eux et il est militant du FIS. Alors il convainc son mari qu'elle doit porter le voile, elle doit porter la gandoura, elle n'a plus le droit de sortir, même pas pour aller chercher ses enfants à l'école, elle n'a plus le droit d'utiliser le téléphone et, petit à petit, ils se coupent du monde français et moi, ça commence à me faire peur, tout ça. D'autant plus que Malika a disparu. Elle est partie avec ses quatre enfants, je ne sais pas ce qu'elle est devenue. Alors, quand je vois son mari et son frère, je m'enfuis parce que, vraiment, j'ai peur d'eux et voilà pourquoi je pense que je deviens raciste.

Deuxième partie

Ça m'a beaucoup tracassée, j'en ai même parlé avec des copines et alors il y en a qui disent qu'ils feraient mieux de retourner dans leur pays. Mais, bon, en réfléchissant bien, ça paraît quand même être un drôle de préjugé. Alors, d'un côté j'ai une peur instinctive mais de l'autre, après tout ce sont bien des gens comme nous. Mais après tout, oui, je m'entendais bien avec Malika, souvent je gardais même ses enfants et, bon, c'est pas parce que la couleur de sa peau est différente de la mienne que ça m'inquiétait mais c'est le changement avec l'arrivée de son beau-frère qui m'a vraiment donné un choc et surtout quand Malika a disparu. Là, j'ai commencé à vraiment me poser des questions.

4.9E Answers

1 Malika et sa famille, qui sont algériens, habitaient à côté de chez moi.
2 Quand le frère de son mari (son beau-frère) est venu s'installer chez eux, elle a dû porter le voile et n'avait plus le droit d'utiliser le téléphone.
3 Je ne sais pas ce que Malika et ses quatre enfants sont devenus – ils ont disparu.

4.9F Answers

1 disparu **2** tracassée **3** certaines **4** dit **5** semblé/paru **6** exemple **7** devraient **8** origine **9** réfléchis **10** gens **11** différents **12** inquiète **13** disparition **14** savais

4.9G Answers

Personal response.

4.10 *Enfants nés de mariages mixtes* (*)

4.10A Answers

1h **2**e **3**c **4**b **5**g **6**j **7**f **8**i **9**a **10**d

4.10B Answers

1 **a** soit **b** décision **c** conséquences
2 **a** s'intégrer **b** selon **c** société
3 **a** quelques **b** faire **c** en **d** capables

4.10C Answers

Personal response.

4.10D Answers

Suggested answer.

1 C'est la seule chose dont Catherine soit certaine.
2 Elle a l'impression de ne pas être complètement/tout à fait pareille/semblable aux autres femmes qui attendent un enfant.
3 Il devient nécessaire quelquefois de choisir peu après la naissance du bébé.

4.10 Consolidation Answers

See table at foot of page.

4.10E Transcript

Moi, je n'ai jamais pu masquer ou cacher mes origines. On sait tout de suite d'où je viens. Il suffit de regarder ma couleur, mes cheveux, mes lèvres, mon nez. Je suis né au Sénégal, j'y ai vécu jusqu'à l'âge de six ans. J'en ai des souvenirs heureux.

Là-bas, c'est pas comme ici. Les familles ne sont pas repliées sur elles-mêmes, les enfants sont un peu les enfants de tout le monde. Je garde de cette vie un sentiment de liberté, d'espace et de tendresse.

Mais mes parents se sont séparés et ma mère a décidé de revenir en France avec moi. Le dépaysement a été terrible. Nous nous sommes retrouvés dans un minuscule appartement. Dans ma classe, j'étais le seul enfant noir. On m'appelait: le négro, le café au lait, le marron, le bronzé.

J'aurais tout donné pour avoir la peau blanche. Je cachais les paumes de mes mains

	Masculin singulier	Féminin singulier	Masculin pluriel	Féminin pluriel
1	*essentiel*	*essentielle*	*essentiels*	*(des décisions) essentielles*
2	significatif	(une décision) significative	significatifs	significatives
3	(le spectacle) quotidien	quotidienne	quotidiens	quotidiennes
4	nombreux	nombreuse	(de) nombreux (psychologues)	nombreuses
5	(un choix) neutre	neutre	neutres	neutres
6	(un problème) épineux	épineuse	épineux	épineuses
7	familial	(la pression) familiale	familiaux	familiales
8	primordial	(une attitude) primordiale	primordiaux	primordiales
9	certain	certaine	certains	certaines (choses)
10	désagréable	désagréable	désagréables	(choses) désagréables
11	(un milieu) populaire	populaire	populaires	populaires
12	visible	visible	visibles	(les différences) visibles

parce qu'un jour une petite fille m'avait dit: «Elles sont drôles, tes mains, elles n'ont pas la même couleur dedans et dehors.» J'en ai pleuré et j'ai supplié ma mère de me renvoyer au Sénégal.

Et puis, avec le temps, je me suis fait des amis. Au début, je me méfiais, je pensais qu'ils venaient vers moi par pitié. Aujourd'hui, je ne le pense plus. Avec eux, je me sens bien. On a monté un petit orchestre, les musiciens sont de toutes les couleurs. J'habite en banlieue, dans une énorme cité. Il y a des gens de tous les pays et ça ne se passe pas toujours bien. Il y a plein de problèmes, on sent la violence prête à éclater à tout instant.

Quand je joue de la musique, je suis vraiment heureux. Ça me permet d'oublier. Parce que, au fond de moi, j'ai mal, je n'arrive pas à m'accepter. Je refuse encore ma couleur. Quand je m'adresse à une fille dans la rue, je le vois bien, elle a souvent un mouvement de recul instinctif. A ce moment-là, j'ai beau me raisonner, me dire que cette fille vit dans un environnement plutôt raciste, qu'on raconte des tas de choses sur les Noirs, leur sexualité, que si elle réagit comme ça, ce n'est pas uniquement de sa faute, ça fait quand même un mal de chien et j'en veux au monde entier. Un jour, je suis tombé amoureux d'une jeune fille blanche, je n'ai jamais osé le lui dire. Je n'aurais pas supporté qu'elle me repousse.

On peut changer de look mais pas de couleur. Pendant un moment, j'en ai terriblement voulu à ma mère de s'être mariée avec un Noir et d'avoir fait un enfant. Elle aurait dû penser à tous les problèmes futurs de cet enfant.

4.10E Answers
Correct order: 5, 7, 3, 9, 8, 10, 1, 11, 4, 12, 2, 6.

4.10F Answers
1 Je suis né au Sénégal, j'y ai vécu jusqu'à l'âge de six ans.
2 Nous nous sommes retrouvés dans un minuscule appartement.
3 J'aurais tout donné pour avoir la peau blanche.
4 Avec le temps, je me suis fait des amis.
5 J'habite en banlieue, dans une énorme cité.
6 J'en veux au monde entier.
7 Elle aurait dû penser à tous les problèmes futurs.

4.11 *Travail de synthèse*

Personal response.

Unité 5 *Le cinéma français*

5.1 *Les premières années* (✓)

5.1A–C Transcript

Première partie

Carmen Tu sais, Alain, nous avons étudié un peu tout ça ... les premières années ... la première époque du cinéma français.

Alain Ah, oui, ça a dû être intéressant pour vous, puisque vous, les Français, vous étiez les pionniers, comme pour l'avion et l'automobile.

Carmen En effet! C'était après tout ..., Louis Lumière, né à Lyon comme son frère, qui avait tout commencé. Je crois que c'est en mars 1895 qu'il a annoncé ses découvertes dans une conférence au sujet de l'industrie photographique à Paris.

Nelly Et à la fin de la même année, tu sais, en décembre 1895, c'était le premier spectacle.

Alain A Paris, assurément?

Nelly Bien sûr, à Paris! C'est inscrit sur les tableaux d'honneur – «la salle du grand café, boulevard des Capucines».

Carmen Oui, on y a projeté une dizaine de petits films, ce qu'on appelle maintenant les courts-métrages, tournés probablement par Louis Lumière lui-même, et un de ses collaborateurs principaux, Charles Moisson.

Nelly Alain, à propos de Louis Lumière ... ça me rappelle ... c'était lors de mon cours d'anglais à Leeds ... tu te souviens de cette BD, «Garth», dans le *Daily Mirror*?

Alain Bien sûr!

Nelly Alors, Louis Lumière est devenu si célèbre, quoi, qu'on a nommé le scientifique dans «Garth», «Professor Lumière» parce que Louis symbolisait le génie scientifique hexagonal.

Carmen Oui, c'est vrai. Mais, il n'était pas le seul ... de loin ... il y a eu Georges Méliès, Léon Gaumont, Charles Pathé.

Nelly Oui, eux, ils ont créé les premières firmes de production. Oui, Méliès avait dirigé un théâtre d'illusionnisme et en 1897, je crois ... tu sais, les dates et moi! ... oui, c'était bien 1897 ... Méliès a fondé un phénomène qui est ressorti pendant notre époque, ce qu'on appelle le «star-film».

Carmen Ah, oui, c'est vrai. Il a établi son studio à Montreuil pour y réaliser quelques centaines de films ... quelques centaines, figure-toi, Alain ... des actualités reconstituées, comme on dit, et des féeries dont la plus célèbre est probablement «Le Voyage dans la lune» qui est sortie en 1902.

Nelly Non, 1903. Pour une fois, je suis certaine, c'était bien 1903.
Carmen Ah, oui, tu as raison!

Deuxième partie
Nelly Un autre, un ingénieur qui a fondé des studios qui seraient à la base du cinéma moderne, ça c'était Léon Gaumont. Son intérêt principal, même au début du siècle, c'était ses recherches sur le cinéma sonore. Alors, il s'est bâti comme un empire industriel autour de ses studios de La Villette. Il a produit énormément de films, souvent des imitations du quatrième grand, Charles Pathé, dont il faut aussi parler. Si je ne m'abuse, les réalisateurs principaux de Gaumont étaient Jasset, Feuillade et une femme ... une femme, Alain, à cette époque-là, longtemps avant l'Allemande d'Hitler, Leni, Leni ...
Alain Riefenstahl.
Nelly Merci. Tu sais, aussi, vers 1911, c'était l'ouverture du Gaumont Palace, place de Clichy. Cela a été une étape ... un moment très important ... une mutation, si tu veux. Au lieu d'une salle très ordinaire, c'était un théâtre énorme avec décors, rideaux somptueux, et cetera. On pouvait vraiment commencer à parler du «septième art»!
Carmen Et pour finir, il y a Charles Pathé. Lui, il produisait des films depuis quelque chose comme 1896–97. Lui, il a fondé des usines et des studios à Vincennes après avoir intéressé les banquiers ... cela en 1901. Son réalisateur principal, directeur artistique et tout ça était Ferdinand Zecca. En plus, Charles Pathé, il a fondé une sorte d'école là, à Vincennes, ce qu'on appelait «l'Ecole de Vincennes» où des dizaines de réalisateurs, de cinéastes en tous genres ... ces cinéastes ils ont produit des centaines de films, des milliers de copies ... des films de toutes sortes – farces, tableaux, sujets dramatiques.
Nelly Et tu sais bien, Alain, Montreuil, Vincennes et La Villette sont restés le centre de notre cinéma français ...
Alain Qui jouit d'une renommée et affection mondiales. Je vous assure, les deux copines, qu'il y a des millions de Britanniques, même de mon âge, qui se rappellent le «Pathé News» et qui ont visité les «Gaumont Palaces» en Grande-Bretagne.

5.1A Answers
1 que Lumière a annoncé ses découvertes dans une conférence au sujet de l'industrie photographique à Paris.
2 monté son premier spectacle.
3 un des collaborateurs principaux de Lumière.
4 créé les premières firmes de production.
5 e «star-film».
6 Méliès a établi son studio.
7 des centaines de films parmi lesquels «Le Voyage dans la lune».
8 de cinéma, qui était énorme, avec décors et rideaux somptueux.

5.1B Answers
1d **2**h **3**b **4**c **5**f **6**e **7**a **8**i **9**g
(j and k = distractors)

5.1C Answers
Personne A
1 le cinéma, l'avion, l'automobile
2 Louis Lumière
3 la salle du grand café, boulevard des Capucines
4 Léon Gaumont, Charles Pathé
5 Georges Méliès

Personne B
1 Georges Méliès
2 Montreuil
3 La Villette
4 1896–97
5 l'Ecole de Vincennes

5.1 Coin accent Transcript
- c'est en mars 1895
- en décembre 1895
- et en 1897, je crois
- non, 1903
- c'était bien 1903
- vers 1911
- depuis quelque chose comme 1896–97
- cela en 1901

5.2 *Aperçu historique* (✓)

5.2A Answers
1 Arletty **2** Gabin **3** Michèle Morgan
4 Clouzot **5** Brigitte Fossey **6** M. Hulot
7 René Clément

5.2B Answers
See table on page 33.

5.2C Transcript
Rod Si nous parlions du cinéma français? Pour toi, qu'est-ce qu'il représente, le cinéma français?
Robert Ben, c'est déjà le septième art. A ce niveau-là il se ... il devient aussi important au XXe siècle que le furent la peinture, la sculpture ou l'architecture.
Rod Oui, très bien, mais est-ce que ça veut dire que les Français sont très fiers de leur cinéma?

	Film	Année	Acteurs/Actrices	Metteur en scène
1	Le Salaire de la peur	1951	Yves Montand, Charles Vanel	Henri-Georges Clouzot
2	Les Vacances de Monsieur Hulot	1951	—	Jacques Tati
3	Les Diaboliques	1954	Paul Meurisse, Simone Signoret, Véra Clouzot	Henri-Georges Clouzot
4	Jeux interdits	1952	Brigitte Fossey, Georges Poujouly	René Clément

Robert Fiers? J'sais pas si le mot, ... c'est le mot que j'emploierais, mais il est sûr qu'ils préfèrent et de loin euh ... un scénario et un film français où ils se retrouvent davantage, où ils euh ... s'identifient que des séries japonaises, des «japonaiseries» comme on dit, ou des séries américaines.

Rod Mais pour, pour les étrangers, le cinéma français est, si tu veux, l'apogée de l'art. Pourquoi est-ce qu'il jouit d'une si grande réputation dans le monde entier, à ton avis?

Robert Enfin ... le, le sujet est peut-être un peu vaste quand même, mais je crois que, effectivement, le film français veut servir soit une idée, soit une histoire. Et ... euh ... je crois qu'il a continué le cinéma italien, le cinéma naturaliste italien, et je crois que la nouvelle vague a fait ... euh ... s'inscrit dans la continuité du, euh, du cinéma ... et le fait que ce soient des, des films bien cadrés, bien structurés, bien léchés du point de vue images ... et même du point de vue musical, ça donne une, une unité à cet ensemble au service d'une ... soit d'une idée, soit d'une histoire ... histoire qui peut être une histoire universelle, hein, qui se répète ...

5.2C Answers

1 septième **2** siècle **3** sculpture **4** veut dire
5 emploierais **6** préfèrent **7** davantage
8 japonaises **9** étrangers **10** réputation
11 vaste **12** servir **13** naturaliste **14** vague
15 continuité **16** soient **17** structurés
18 ensemble **19** idée **20** universelle

5.2 Coin accent Transcript (M then F)

- Pour toi, qu'est-ce qu'il représente, le cinéma français?
- Est-ce que ça veut dire que les Français sont très fiers de leur cinéma?
- Fiers?
- Pourquoi est-ce qu'il jouit d'une si grande réputation dans le monde entier?

5.3 *Yves Montand* (✓)

5.3A Answers

1 Z
2 Jean de Florette
3 Manon des sources
4 Le Salaire de la peur
5 Trois places pour le 26
6 Les Sorcières de Salem
7 La Guerre est finie
8 Le Milliardaire
9 Etoile sans lumière

5.3B Answers

Justifiés: **1**, **2**, **4**, **6**, **9**, **12**.

5.3C Answers

Suggested answer.

Yves Montand était un acteur, un interprète aux talents remarquables. Après un départ fluctuant il a été finalement reconnu comme grand acteur et comme défenseur engagé des droits de l'homme, aidé dans une large mesure par sa collaboration fructueuse avec sa femme, Simone Signoret, et le metteur en scène Costa-Gavras.

Montand se montrait également à l'aise et complètement/parfaitement crédible, qu'il joue un policier/flic, un gangster, un militant politique ou un amant. Il savait tout simplement incarner à l'écran des personnages du quotidien avec lesquels on peut s'identifier facilement. Il mérite complètement son triomphe final personnel, où il jouait le grand-père provençal, personnage créé par Pagnol, avec l'accent de sa jeunesse.

5.3D Answers

Personal response.

5.3 Consolidation Answers

1 **a** Sa carrière cinématographique connaîtrait de nombreuses fluctuations.
b Il faudrait attendre 1953.
c Montand serait désormais abonné aux rôles d'aventurier gouailleur.

d Il incarnerait cette figure issue du peuple.
e Sa carrière de comédien serait tributaire de désirs plus personnels.

2 **a** Je ne la reconnaîtrais pas à l'écran.
b Faudrait-il voir tous les films d'Arletty?
c Nous ne serions pas forcément d'accord.
d Personne n'incarnerait le flic sympathique comme (le faisait) Philippe Noiret.
e Tu serais tributaire des projets du metteur en scène.

5.4 *Le «Star-cinéma» et ses légendes* (✓)

5.4A Answers
1 aujourd'hui **2** auparavant **3** plus **4** que **5** rarement **6** que **7** tout le temps **8** plus **9** quand **10** n'est plus

5.4B Answers
1 auparavant
2 rapetissé
3 dans tous les foyers
4 a aboli
5 se tenir à l'écart
6 depuis que
7 forcément

5.4C Answers
Suggested answer.
The stars have changed. They have changed size. Oddly enough, we are used to seeing them on the small screen, whereas in the past, they moved about on giant screens. Now that people no longer go to the cinema (it's more expensive, it's further away), the stars have been reduced to small format, they have shrunk/diminished in stature. Besides, the presence of a television in every household has eliminated the distance between viewer and star. We don't have to go out anywhere nowadays to meet the artists of the cinema. We expect them to come to us. However, in order to hold onto their 'star' status, actors need to keep themselves at a distance to some extent. This is why Depardieu, Adjani and Deneuve are only rarely to be seen on television. We don't really value a star unless the distance between the star and ourselves is considerable, and it is exactly this distance that television obliterates.

5.4 Consolidation Answers
1 Sauf pour voir quelques grandes équipes, on ne va même plus au match.
2 Depuis que le cinéma est devenu trop cher, on n'y va plus.
3 On ne chérit vraiment l'amour que lorsqu'on le perd.
4 Les Français construisent des centres de tennis, alors que nous, nous détruisons nos terrains.
5 La reine d'Angleterre ne parle que très rarement de ses affaires privées.

5.5 *Les metteurs en scène de la Nouvelle Vague* (✓)

5.5A Answers
1 Chabrol **2** Godard **3** Truffaut **4** Malle **5** Chabrol **6** Chabrol **7** Truffaut **8** Malle **9** Godard

5.5B & C Answers
Personal response.

5.5D Answers
- Je m'appelle Charlie Jenkins.
- J'y suis depuis six mois.
- J'ai fait des films d'amateur et j'ai travaillé dans un restaurant.
- Des policiers et des comédies.
- J'ai appris à traiter les gens avec respect, mais sans les prendre trop au sérieux.
- Je peux me libérer. C'est très important pour moi.

Merci de votre amabilité.

5.5 Consolidation Answers
1 **a** Je n'ai jamais pensé que «Les Amants» serait un succès.
b Je suppose que c'était, comment dirais-je, du détournement.
c Je pensais que je serais scénariste.

2 **a** Tu ne me permettrais pas d'exprimer mon propre caractère/ma propre personnalité!
b Nous ne savons pas comment nous pourrions (on pourrait) le dire en public.
c Elle pensait qu'elle serait peut-être/ pourrait être femme d'affaires.
d Nous avons pensé que nous irions visiter le musée d'Orsay.
e N'aurions-nous pas plus tort dans ce cas?

5.6 *Il y a toujours de nouvelles stars!* (✓)

5.6A & B Transcript
Interviewer Depuis la sortie, en avril, de *Jeanne et le garçon formidable*, on a beaucoup vu son beau visage en amande en couverture des magazines. Le cinéma français, c'est sûr, tient là une nouvelle star. Virginie Ledoyen a 21 ans et déjà dix ans de «carrière», qui l'ont très vite éloignée de l'enfance. Ecole du spectacle, pubs, premiers rôles remarqués, dans *Mima*, de Philomène Esposito, et dans *Le Voleur d'enfants*, de Christian de Chalonge. Puis deux rencontres *«déterminantes»*: avec Olivier Assayas, qui en fait l'adolescente rebelle et incandescente de *L'Eau froide*; et

avec Benoît Jacquot. Pour lui, elle joue à merveille la Marianne de Marivaux, et, filmée en temps réel sur un rythme haletant, elle imprime à *La Fille seule* l'image magnifique d'une solitude obstinée. Sa maturité impressionne d'autant plus qu'elle s'accompagne d'une fraîcheur juvénile. Légère et directe, elle parle vite, d'une voix décidée. Parfois intransigeante, mais jamais trop sérieuse. Curieuse et enthousiaste. Au moment de cette interview, groupie rieuse tout entière absorbée par le Mondial. Et pourtant prête à partir à l'autre bout du monde: Virginie Ledoyen sait à merveille capter un lieu, une atmosphère, saisir l'éphémère et l'insolite. Et maintenant, chers auditeurs, chères auditrices, vous allez avoir le plaisir d'entendre parler la jeune et belle vedette, Virginie Ledoyen ...

Alors, Virginie, vous m'avez donné une liste de sujets avant votre arrivée. Parlez-nous tout d'abord du monde à l'envers.

Virginie Ledoyen En ce moment, je ne peux pas m'empêcher de penser au Mondial. C'est une vraie obsession. L'équipe de France, je la trouve épatante. Certains joueurs sont vraiment craquants! Mon préféré, c'est Bixente Lizarazu ... Vous allez me prendre pour une vraie midinette, non? Je suis sous tension. Avec ma meilleure copine, on a suivi tous les matchs. On est déchaînées, on pousse des cris: nos copains disent que c'est le monde à l'envers. Mais ma passion du foot ne date pas d'aujourd'hui: je me souviens de la Coupe d'Europe gagnée par Marseille. Quel événement! Je pige à peu près toutes les règles, sauf celle du hors-jeu: on a beau me faire des dessins, ça ne me paraît pas logique. Et comme je suis très cartésienne ...

Interviewer Ce que vous avez à dire sur le métro va certainement intéresser nos auditeurs.

Virginie Ledoyen A chaque fois que je vais à l'étranger, c'est la première chose que je fais: je m'engouffre dans le métro. Je connais ceux de New York, Berlin, Londres, Lyon et Lille, aussi. Celui de Prague est impressionnant: tout carrelé en blanc, avec des escalators gigantesques. Le métro est un des meilleurs moyens pour découvrir l'âme d'une ville: c'est un condensé de vie, tous milieux sociaux confondus, pauvres et riches. On croise une multitude de visages, on imagine la journée de chacun, on devine l'activité des gens au magazine qu'ils lisent, on remarque la femme au foyer, le cadre ... J'ai commencé à prendre le métro très jeune, à neuf ans. J'habitais à Aubervilliers et j'allais à l'école dans le 5e arrondissement: en tout, vingt stations. J'ai toujours aimé la vie du métro, son agitation, ses trafics, sa lumière blafarde.

Interviewer Votre prochain sujet, «jouer à la marchande», je ne le comprends pas tout à fait. Vous pouvez nous l'expliquer?

Virginie Ledoyen Mon père est démonstrateur sur les marchés. Quand j'étais enfant, j'y allais avec lui. On se levait à l'aube, c'était très excitant. Plus encore que les étals de jolis légumes et de fruits, c'était l'ambiance de travail qui me fascinait. C'était aussi l'occasion de voir défiler du monde. Mon père vendait n'importe quoi, des couteaux, des articles ménagers. Vanter les mérites d'un produit par la tchatche, c'est du théâtre, tout un art de la persuasion.

Interviewer Et maintenant parlez-nous un peu de vos deux héroïnes de cinéma, Anna Karina et Isabelle Huppert.

Virginie Ledoyen Anna Karina dans *Le Petit Soldat*, de Godard, c'est pour moi l'image cinématographique par excellence. J'ai découvert ce film tout récemment, et ce fut un choc. Karina y est bouleversante. Je l'adore aussi dans *Pierrot le Fou*. *«J'sais pas quoi faire, qu'est-ce que j'peux faire.»* Sinon, je suis aussi fascinée par Isabelle Huppert. Son jeu, sa présence, son côté opaque. Dans *L'Inondation*, que hélas peu de gens ont vu, elle est formidable. Elle aimait le livre, elle a été chercher Minaiev, et le film s'est fait grâce à elle. C'est cela que j'aime chez elle: l'actrice et la femme qui s'engage pour faire aboutir des projets. J'admire qu'elle puisse passer d'un univers à l'autre, mais sans jamais s'y fondre totalement: elle garde une identité propre, même avec des personnalités aussi fortes que Godard.

Interviewer Et pour finir, s'il vous plaît, un petit mot sur Gérard Lanvin.

Virginie Ledoyen J'ai toujours été folle de lui. On vient de tourner ensemble dans un film de Pierre Jolivet, *En plein cœur*. C'est l'un de mes acteurs préférés et l'une des personnes les plus droites que j'ai rencontrées dans le cinéma. Un homme drôle et humain, généreux sans être démago. Beau mec, il a un côté balaise et, en même temps, il est attachant, émouvant. Lanvin, c'est quelqu'un qui m'est très familier, peut-être parce que nos pères font le même métier!

5.6A Answers

1 *Jeanne et le garçon formidable*
2 21 ans
3 *Mima, Le Voleur d'enfants*
4 *L'Eau froide*
5 *La Fille seule*
6 8 among: maturité/mûre; fraîcheur (juvénile); légère; directe; parle vite; voix décidée; (parfois) intransigeante; jamais trop sérieuse; curieuse; enthusiaste/rieuse
7 le Mondial/la Coupe du monde

5.6B Answers
1 empêcher **2** trouve **3** c'est **4** tous **5** disent **6** gagnée **7** beau **8** que **9** ceux **10** découvrir **11** au **12** j'allais **13** j'étais **14** de **15** n'importe **16** l'image **17** y **18** par **19** *L'Inondation* **20** été **21** s'est **22** s'engage **23** s'y **24** aussi **25** été **26** l'un **27** dans le **28** sans **29** m'est

5.6C Answers
Personal response.

5.6 Coin accent Transcript (M then F)
Certains joueurs sont vraiment craquants.
C'est pour moi l'image cinématographique par excellence.
J'ai découvert ce film tout récemment, et ce fut un choc.
Elle y est bouleversante.
Son jeu, sa présence, son côté opaque.

5.7 *Le cinéma littéraire I* (✓)

5.7A & B Transcript
Interviewer La rencontre avec Madame Bovary n'avait-elle pas été préméditée de longue date?
Huppert Pas en ce qui me concerne. J'y ai pensé vaguement quand je jouais *Un Mois à la campagne* de Tourgueniev: j'y étais une espèce de Bovary des steppes. D'une façon bienheureuse et curieuse, Claude Chabrol et Marin Karmitz m'ont proposé le rôle quelques semaines plus tard. Mais ce n'est pas un personnage sur lequel j'avais beaucoup rêvé. Euh ... Et puis, on peut rêver sur de grands personnages de la littérature sans avoir envie de les incarner. En tournant le film ou même en lisant le livre avant de tourner, j'avais l'impression que *Madame Bovary* était un peu l'exception qui confirme la règle. C'est une œuvre particulièrement cinématographique, de par le langage de Flaubert, le réalisme des descriptions ...
Interviewer Chabrol, lui, y pensait ...
Huppert Mais il ne m'en avait jamais parlé.
Interviewer Il ne voulait personne d'autre que vous. Est-ce que cela représentait une plus grande responsabilité?
Huppert On se sent plutôt des ailes. Cela donne de l'énergie, les compliments. Mais, sur le plateau, il ne me le répétait pas toutes les trois minutes! Pendant le tournage, j'ai travaillé avec Flaubert à proximité: les lettres à Louise Collet, la correspondance qui témoigne de la genèse douloureuse de *Madame Bovary* et le livre lui-même. J'aimais bien en relire des passages. Il y a des indications très utiles. Quand Flaubert, par exemple, parle d'une «hardiesse candide»: tout est là ...
Un apport essentiel de Chabrol, c'est d'avoir donné l'impression, par sa mise en scène, que les personnages se meuvent naturellement dans des costumes et des décors du siècle passé, les chapeaux, les crinolines, tout ça. Et moi, je me suis efforcée de rendre *Madame Bovary* moderne.
Interviewer Ne l'était-elle pas déjà?
Huppert Voilà, j'y arrive. Elle était moderne. J'ai eu le sentiment que ce qu'on appelle le bovarysme était une idée reçue, que Flaubert n'aurait pas aimée, qu'il aurait été le premier à dénoncer. C'est un cliché réducteur et le livre contient en lui des choses qui vont contre. J'y ai trouvé la possibilité de créer un personnage, peut-être plus intelligent que le souvenir qu'on en a, certainement plus combatif, plus émouvant, plus douloureux. J'ai voulu en faire une héroïne.

5.7A Answers
1 *Un Mois à la campagne.*
2 Un grand personnage de la littérature qu'elle voulait jouer.
3 Le langage de Flaubert, le réalisme des descriptions.
4 Claude Chabrol.
5 Lire le roman et la correspondance de Flaubert où il y a des indications utiles.
6 Femme moderne, intelligente, combative, émouvante, douloureuse, héroïque.

5.7B Answers
Correct order: 4, 1, 9, 3, 6, 8, 7, 2, 5.

5.7C & D Transcript
Madame Bovary
Au moment où ils entrèrent dans la forêt, le soleil parut.
– Dieu nous protège! dit Rodolphe.
– Vous croyez? fit-elle.
– Avançons! Avançons! reprit-il.
Il claqua de la langue. Les deux bêtes couraient.
De longues fougères, au bord du chemin, se prenaient dans l'étrier d'Emma. Rodolphe, tout en allant, se penchait et il les retirait à mesure. D'autres fois, pour écarter les branches, il passait près d'elle, et Emma sentait son genou lui frôler la jambe. Le ciel était devenu bleu. Les feuilles ne remuaient pas. Il y avait de grands espaces pleins de bruyères tout en fleurs; et des nappes violettes s'alternaient avec le fouillis des arbres, qui étaient gris, fauves ou dorés, selon la diversité des feuillages. Souvent on entendait, sous les buissons, glisser un petit battement d'ailes, ou bien le cri rauque et doux des corbeaux, qui s'envolaient dans les chênes.

Ils descendirent. Rodolphe attacha les chevaux. Elle allait devant, sur la mousse, entre les ornières.

Mais sa robe trop longue l'embarrassait, bien qu'elle la portât relevée par la queue, et Rodolphe, marchant derrière elle, contemplait entre ce drap noir et la bottine noire, la délicatesse de son bas blanc, qui lui semblait quelque chose de sa nudité.

Elle s'arrêta.

– Je suis fatiguée, dit-elle.

– Allons, essayez encore! reprit-il. Du courage!

Puis cent pas plus loin, elle s'arrêta de nouveau; et, à travers son voile, qui de son chapeau d'homme descendait obliquement sur ses hanches, on distinguait son visage dans une transparence bleuâtre, comme si elle eût nagé sous des flots d'azur.

– Où allons-nous donc?

Il ne répondit rien. Elle respirait d'une façon saccadée. Rodolphe jetait les yeux autour de lui et il se mordait la moustache.

Ils arrivèrent à un endroit plus large, où l'on avait abattu des baliveaux. Ils s'assirent sur un tronc d'arbre renversé, et Rodolphe se mit à lui parler de son amour.

Il ne l'effraya point d'abord par des compliments. Il fut calme, sérieux, mélancolique.

Emma l'écoutait la tête basse, et tout en remuant avec la pointe de son pied des copeaux par terre.

Mais, à cette phrase:

– Est-ce que nos destinées maintenant ne sont pas communes?

– Eh non! répondit-elle. Vous le savez bien. C'est impossible.

Elle se leva pour partir. Il la saisit au poignet. Elle s'arrêta. Puis, l'ayant considéré quelques minutes d'un œil amoureux et tout humide, elle dit vivement:

– Ah! tenez, n'en parlons plus ... Où sont les chevaux? Retournons.

Il eut un geste de colère et d'ennui. Elle répéta:

– Où sont les chevaux? Où sont les chevaux?

Alors souriant d'un sourire étrange et la prunelle fixe, les dents serrées, il s'avança en écartant les bras. Elle se recula tremblante. Elle balbutiait:

– Oh! vous me faites peur! Vous me faites mal! Partons.

– Puisqu'il le faut, reprit-il en changeant de visage.

5.7C Answers

1 Vous croyez? fit-elle.
Elle s'arrêta.
elle s'arrêta de nouveau
– Où allons-nous donc?
Emma l'écoutait la tête basse, et tout en remuant avec la pointe de son pied des copeaux par terre.
Elle s'arrêta.

2 – Dieu nous protège! dit Rodolphe.
– Avançons! Avançons! reprit-il.

3 – Est-ce que nos destinées maintenant ne sont pas communes?

4 – Avançons! Avançons! reprit-il.
– Allons, essayez encore! reprit-il. Du courage!

5 – Avançons! Avançons! reprit-il.
– Allons, essayez encore! reprit-il. Du courage!
– Où sont les chevaux? Où sont les chevaux?

6 Emma l'écoutait la tête basse, et tout en remuant avec la pointe de son pied des copeaux par terre.
– Eh non! répondit-elle. Vous le savez bien. C'est impossible.

7 il passait près d'elle, et Emma sentait son genou lui frôler la jambe.
Rodolphe, marchant derrière elle, contemplait entre ce drap noir et la bottine noire, la délicatesse de son bas blanc, qui lui semblait quelque chose de sa nudité.
l'ayant considéré quelques minutes d'un œil amoureux et tout humide,

8 il passait près d'elle, et Emma sentait son genou lui frôler la jambe.

9 – Avançons! Avançons! reprit-il.
– Ah! tenez, n'en parlons plus ... Où sont les chevaux? Retournons.
– Où sont les chevaux? Où sont les chevaux?

10 Rodolphe, marchant derrière elle, contemplait entre ce drap noir et la bottine noire, la délicatesse de son bas blanc, qui lui semblait quelque chose de sa nudité.
Rodolphe jetait les yeux autour de lui et il se mordait la moustache.

5.7D Answers

1 la retraite **2** retiré **3** une alternance
4 alternatif/alterné **5** la longueur
6 longer/allonger **7** la nouveauté
8 renouveler **9** voiler **10** voilé **11** pointer
12 pointé **13** aimer **14** aimé
15 complimenter **16** complimenté
17 ennuyer **18** ennuyé/ennuyeux
19 la répétition **20** répété/répétitif
21 la fixation **22** fixer **23** le serrement
24 serrer **25** un avancement **26** avancé
27 le recul **28** reculé

5.7E Answers

Personal response.

5.7 Consolidation Answers

Present participles

1 **a** Rodolphe, marchant derrière elle, contemplait
b Tout en remuant avec la pointe de son pied des copeaux par terre
c Il s'avança en écartant les bras.
d Puisqu'il le faut, reprit-il en changeant de visage.

2 **a** Il quitta la vie, emportant son secret dans la tombe.
b A lundi, répondit-elle, en me secouant la main.
c Elle faisait toujours ses devoirs en écoutant de la musique bruyante.
d Je la regardais, en me grattant la tête.
e En fouillant dans les poubelles, nous avons juste réussi à rester vivants.

Negative adverbs

3 **a** Les Européens n'ont que la légende.
b Je n'ai jamais pensé qu'il serait un succès international.
c Il ne répondit rien.
d Il ne l'effraya point d'abord.
e N'en parlons plus.

4 **a** Elle ne donnait rien en retour.
b Vous deux, ne vous disputez plus!
c Je ne savais rien.
d Nous n'avons que peu de souvenirs.
e Tu ne croyais jamais que je le ferais.

5.7 Coin accent Transcript (M then F)

été, préméditée, pensé, proposé, rêvé, littérature, était, parlé, représentaient, l'énergie, répétait, proximité, donné, décors, passé, efforcée, déjà, idée.

5.8 *Astrid Veillon a réalisé son rêve d'enfant*

5.8A & B Transcript

Interviewer Astrid Veillon, pourquoi êtes-vous devenue comédienne?

Astrid Veillon Depuis l'âge de trois ans, ce métier m'a toujours fait rêver. Pourtant, je ne suis pas du tout issue d'un milieu artistique. Aujourd'hui, grâce à ce métier, j'éprouve une grande satisfaction parce que j'ai pu réaliser mon rêve. C'est une vie magique. Cela peut paraître un peu prétentieux, mais lorsque je discute avec des gens extérieurs à la profession, je m'aperçois que le seul métier qui nous fait tous fantasmer, c'est le mien.

Interviewer C'est pourtant un métier difficile . . .

Astrid Veillon C'est vrai. Tout n'est pas toujours rose. J'ai traversé sept mois de chômage l'année dernière et c'était horrible, mais cela fait partie du jeu. En contrepartie, les compensations sont énormes.

Interviewer Vous n'aviez jamais connu le chômage avant?

Astrid Veillon Non, j'ai eu de la chance. Je suis arrivée à Paris il y a sept ans. J'ai décroché mon premier rôle deux ans après et durant les quatre années suivantes, j'ai enchaîné tournage sur tournage. Mais j'ai vécu toute cette période dans la peur du lendemain. Je n'ai donc pas profité pleinement de cette phase heureuse. Lorsque tout s'est arrêté en mars dernier, je me suis pris une grande claque. J'avais l'impression d'être tombée dans les oubliettes et j'ai fait une grosse déprime. J'ai surmonté ce cap difficile en suivant des stages de théâtre, des cours de chant et d'anglais. C'est au moment où j'avais décidé de partir aux Etats-Unis que mon téléphone a de nouveau sonné.

Interviewer Votre métier est-il une revanche sur votre enfance difficile?

Astrid Veillon Oui. Je ressemble en cela à ma mère, qui est institutrice pour les enfants inadaptés. Elle n'a jamais cessé de passer des examens pour progresser et arrive en fin de carrière à un poste très intéressant. Toutes les deux, étant jeunes, nous en avons tellement bavé que nous avions des choses à prouver aux autres. A cause de cela, jusqu'à l'âge de 26 ans, j'avais une attitude très provocante, excentrique, et j'étais en représentation permanente. Aujourd'hui, je suis plus sereine et je m'assume avec mes défauts et mes qualités.

5.8A Answers

1 ✗ **2** ✗ **3** ✓ **4** ✗ **5** ✓ **6** ✓ **7** ✗
8 ✓ **9** ✓ **10** ✓

5.8B Answers

1c **2**l **3**a **4**f **5**i **6**b **7**d **8**j **9**e **10**k
(g and h = distractors)

5.9 *Le cinéma littéraire II* (*)

5.9 Transcript

Le Château de ma mère

Le temps passe, et il fait tourner la roue de la vie comme l'eau celle des moulins.

Cinq ans plus tard, je marchais derrière une voiture noire, dont les roues étaient si hautes que je voyais les sabots des chevaux. J'étais vêtu de noir, et la main du petit Paul serrait la mienne de toutes ses forces. On emportait notre mère pour toujours.

De cette terrible journée, je n'ai pas d'autre souvenir, comme si mes quinze ans avaient refusé d'admettre la force d'un chagrin qui pouvait me tuer. Pendant des années, jusqu'à l'âge d'homme, nous n'avons jamais eu le courage de parler d'elle.

Puis, le petit Paul est devenu très grand. Il me dépassait de toute la tête, et il portait une barbe en collier, une barbe de soie dorée. Dans les collines de l'Etoile, qu'il n'a jamais voulu quitter, il menait son troupeau de chèvres; le soir, il faisait des fromages dans des tamis de joncs tressés, puis sur le gravier des garrigues, il dormait, roulé dans son grand manteau: il fut le dernier chevrier de Virgile. Mais à 30 ans, dans une clinique, il mourut. Sur la table de nuit, il y avait son harmonica.

Mon cher Lili ne l'accompagna pas avec moi au petit cimetière de La Treille, car il l'y attendait depuis des années, sous un carré d'immortelles: en 1917, dans une noire forêt du Nord, une balle en plein front avait tranché sa jeune vie, et il était tombé sous la pluie, sur des touffes de plantes froides dont il ne savait pas les noms ...

Telle est la vie des hommes. Quelques joies, très vite effacées par d'inoubliables chagrins.

Il n'est pas nécessaire de le dire aux enfants.

5.9A Answers

1 Le nombre d'exemplaires du roman vendus chaque année (en édition Livre de poche).
2 Le nombre d'exemplaires vendus depuis 30 ans.
3 Le nombre d'exemplaires du *Château de ma mère* qui se vendent chaque année.
4 Le nombre d'exemplaires annuels vendus de *Jean de Florette* et *Manon des sources*, depuis la sortie des deux films.
5 Le nombre d'exemplaires vendus du *Temps des secrets.*
6 Le nombre d'exemplaires vendus du *Temps des amours.*
7 La date de la publication de *La Gloire de mon père.*

5.9B Answers

Le succès de «Jean de Florette» et de «Manon des sources», basés sur ses romans; le succès de son théâtre aux Etats-Unis; qualités de style et d'écriture; son œuvre est un classique dans les lycées, les collèges, les écoles. Les jeunes prennent plaisir à lire ses romans.

5.9C Answers

1 Sa mère, le petit Paul, et son cher Lili.
2 Sa mère: la route qui menait au cimetière; le petit Paul: les collines de l'Etoile; Lili: une noire forêt du Nord/le cimetière de la Treille.
3 Il vaut mieux ne pas leur dire que la vie est pour la plupart très triste.
4 **a** de cette terrible journée; la force d'un chagrin qui pouvait me tuer; une balle en plein front avait tranché sa jeune vie; d'inoubliables chagrins.
b telle est la vie des hommes.
c il n'est pas nécessaire de le dire aux enfants.
d une voiture noire, dont les roues étaient si hautes que je voyais les sabots des chevaux.
e le temps passe, et il fait tourner la roue de la vie comme l'eau celle des moulins; quelques joies, très vite effacées par d'inoubliables chagrins.
f les collines de l'Etoile, qu'il ne voulait jamais quitter; il fut le dernier chevrier de Virgile.
g il dormait, roulé dans son grand manteau; sur la table de nuit, il y avait son harmonica.
h il fut le dernier chevrier de Virgile.
i il dormait roulé dans son grand manteau.
j jusqu'a l'âge d'homme, nous n'avons jamais eu le courage de parler d'elle.

5.9D Answers

Personal response.

5.9 Consolidation Answers

1 **a** dès lors
b dès 1957
c on peut imaginer que désormais
d dès sa sortie sur les écrans
e depuis toujours
f au moment où ils entrèrent dans la forêt
g voilà plus de 30 ans que ce roman ne cesse de conquérir de nouveaux lecteurs.
2 **a** ils menacent d'envahir depuis plusieurs années
b dès son départ pour Paris
c voilà presque sept ans que j'apprends le français!
d dès l'année prochaine
e dès demain
f dès mon enfance

5.10 *Téléfilms*

5.10A Answers

1 le scénariste
2 le cafetier (en chef de l'hôtel Majestic)
3 la victime/le cadavre
4 une personne avec un passé (douteux)
5 une autre personne avec un passé
6 l'autre scénariste
7 l'acteur/le comédien qui interprète Maigret.

5.10B Answers

1 un employé impeccable
2 qu'il a aperçu dans les caves
3 pendant son enquête
4 il est certain

5 fonctionne à l'inspiration
6 respire les atmosphères
7 débrouille le vrai de la camelote
8 en suivant son pas
9 au carrefour de deux mondes
10 plantent avec exactitude

5.11 *Les multiplex* (*)

5.11A Answers

1 construire **2** constructif **3** une crainte
4 craintif **5** un commerce **6** commercer
7 créer **8** créateur/créatif **9** défendre
10 défensif **11** une assurance **12** assuré
13 un profit **14** profitable **15** une inquiétude
16 (s')inquiéter **17** baisser **18** baissé
19 un contrôle **20** contrôlé **21** une grandeur
22 grandir **23** autoriser **24** autorisé
25 une nouveauté **26** renouveler
27 un soutien **28** soutenir **29** une faveur
30 favori

5.11B Answers

Allow any reasonable alternatives.

a more than a billion francs will be spent this year
b these monsters fit in with the public's new demands
c Disneyland will be up and running next year
d it has touched/skirted the 130 million mark
e an amendment intended to keep (tight) control over the spread of multiplexes
f he described it as a 'catastrophe'
g a finicky set of regulations brought it tumbling down
h encourage a policy of consensus/agreement

5.11C Answers

Avantages

- correspondent à la nouvelle demande du public
- espaces ultra-modernes
- salles à grand écran
- bar, restauration, etc.
- en mesure d'enrayer la chute de fréquentation
- films français grand public résistent aux grandes productions américaines

(6 points)

Inconvénients

- menacent l'avenir des petits cinémas de quartier
- incitent les petits distributeurs indépendants à l'hostilité
- entraînent une baisse de fréquentation des salles des centre-villes
- semblent rebuter un public fidèle au cinéma d'art et d'essai

(4 points)

5.11D Answers

1 Parliament has voted in an amendment intended to control the spread of multiplexes.
2 New complexes of over 1500 places will need planning permission.
3 Badly received by Nicolas Seydoux, Gaumont's Managing Director.
4 The Ministry for Culture is having all developments watched.
5 The Ministry favours a policy of cooperation between the towns and the small operatives.
6 There has been resistance from the latter.
(6 points)

5.11 Consolidation Answers

Future

1 Ces nouveaux centres connaîtront bientôt un succès grandissant.
2 Vous pourrez aussi trouver un bar.
3 Les films français sembleront en profiter.
4 Les parlementaires voteront un amendement.
5 Je le qualifierai de «catastrophe».
6 Les petits exploitants tenteront de résister.

Conditional

1 Ces nouveaux centres connaîtraient bientôt un succès grandissant.
2 Vous pourriez aussi trouver un bar.
3 Les films français sembleraient en profiter.
4 Les parlementaires voteraient un amendement.
5 Je le qualifierais de «catastrophe».
6 Les petits exploitants tenteraient de résister.

5.12 *Qu'y a-t-il au cinéma?*

5.12A Answers

1 C'est la tangente . . .
2 C'est la tangente . . .
3 Le Plaisir
4 C'est la tangente . . .
5 Le Plaisir
6 C'est la tangente . . .
7 Le Plaisir

5.12B Answers

Personal response.

5.13 *Expériences personnelles* (*)

5.13A & B Answers

Personal response.

5.14 *Travail de synthèse*

5.14A Transcript

Radio-Ciné – Jeu-Concours

Présentatrice Bonjour, chers auditeurs, chères auditrices et surtout ... Salut aux Droitaubutistes! De nouveau, soyez les bienvenus à notre jeu-concours sur le cinéma.

Présentateur On commence avec la tournée *Un peu d'histoire*, où vous complétez des détails sur l'histoire de notre cinéma. Alors, vous êtes prêts? On y va.

Question 1: Nommez trois pionniers qui ont donné les premières impulsions au cinéma français. Ça, ça vaut trois points.

Question 2: C'est quoi, le nom du premier film célèbre?

Question 3: Les deux frères Lumière étaient natifs de quelle ville?

Question 4: Georges Méliès, où a-t-il fondé son studio?

Et Question 5: Qui a établi des usines et un studio à Vincennes?

Très bien, cinq questions, sept points. Et maintenant, un changement de thème.

Présentatrice Oui, à notre deuxième tournée, *Connaissez-vous bien vos metteurs en scène?* Vous savez que c'est très facile. Je vous donne des noms de films, vous écrivez le nom du metteur en scène. Alors, questions 6, 7, 8, 9, 10: Qui sont les metteurs en scène des films suivants ... ?

Question 6: *Le Beau Serge.*

Question 7: *Zazie dans le métro.*

Question 8: *La Grande Illusion.*

Question 9: *Jeux interdits.*

Question 10: *Les Ripoux.*

Dix questions, ça fait douze points.

Présentateur Et pour finir, la troisième tournée, huit questions dans notre rubrique *Les faits divers du cinéma.*

Question 11: Quel membre de l'Académie française a écrit un roman qui était d'abord scénario de film?

Question 12: Quel metteur en scene a décidé d'aller travailler en Amérique?

Question 13: Nommez le roman classique dont Claude Chabrol a fait un film.

Question 14: Nommez l'acteur français de souche italienne qui a tourné avec Claude Berri.

Présentatrice Question 15: Quel était son rôle?

Question 16: Nommez la star du *Petit Soldat* de Godard.

Question 17: Qui est la jeune vedette qui figurait dans *La Fille seule*?

Question 18: Dernière question ... qui est la jeune comédienne qui figure dans le nouveau film de Nicolas Robowski, *La Femme du boulanger*?

Alors, c'est fini! Dix-huit questions ... vingt points. Donnez votre fiche de réponses à votre prof de français et bonne chance à toutes et à tous!

Au revoir! Ciao! Bye-bye! A la prochaine! A plus!

5.14A Answers

1 Any 3 from: Lumière brothers, Georges Méliès, Léon Gaumont, Charles Moisson, Charles Pathé, Zecca **2** *Le Voyage dans la lune*
3 Lyon **4** Montreuil **5** Charles Pathé
6 Claude Chabrol **7** Louis Malle
8 Jean Renoir **9** René Clément
10 Claude Zidi **11** Marcel Pagnol
12 Louis Malle **13** *Madame Bovary*
14 Yves Montand **15** Papet (César Soubeyran)
16 Anna Karina **17** Virginie Ledoyen
18 Astrid Veillon

5.14B Answers

Personal response.

Unité 6 *La vie «active»?*

6.1 *J'ai besoin de 1500 francs par mois*

6.1 Transcript

Mes parents m'assurent le gîte et le couvert. Mais j'ai besoin de sous pour payer mes études, les bouquins, les transports et le resto U. Ils me donnent 400 francs d'argent de poche, mais j'ai besoin d'environ 1500 francs par mois. Alors, mon père m'a parlé d'un petit boulot de caissière au BHV de Montlhéry, tous les samedis de 9 heures à 18 heures. Ça me fait 1300 francs par mois. C'est pas l'usine comme dans la restauration rapide ou les hypermarchés. L'ambiance est sympa, plutôt souple. On peut travailler un ou deux jours par semaine, dont un jour obligatoire pendant le week-end. Bon, d'accord, le commerce n'est absolument pas ma filière, mais cela m'apprend à me comporter dans l'entreprise vis-à-vis des clients. Ça me change du milieu étudiant. Je l'aime bien. La seule chose qui m'inquiète, c'est comment concilier l'année prochaine mes études en Sorbonne et mes petits boulots, sans nuire à mes études?

6.1A Answers

Vraies: 1, 4, 6, 7, 8, 9, 10.

6.1B Answers

Personal response.

6.2 *Métier: traductrice* (✓)

6.2A Answers
1h **2**e **3**a **4**g **5**f **6**d **7**b
(c = distractor)

6.2B Answers
Suggested answer.
1 Quel âge avez-vous?
2 Où avez-vous fait/préparé votre bac?
3 Combien de temps a duré votre DESS?
4 Pourquoi avez-vous choisi une collaboration indépendante?
5 Qu'est-ce que vous trouvez dur?
6 Est-ce que vous aviez prévu votre situation actuelle?

6.2C Answers
Personal response.

6.3 *Seriez-vous tenté . . . ?* (✓)

6.3A & B Transcript

Samuel Ça ne me dérangerait pas, il faut s'ouvrir à tous les horizons. La France, c'est bien, mais les entreprises se mondialisent de plus en plus et il est bon de sortir du carcan hexagonal. Une immersion en Angleterre est forcément une bonne occasion pour l'apprentissage de la langue mais aussi pour la connaissance de «l'autre». Pour le moment, je n'ai pas de projet précis mais, si l'occasion m'en est donnée, je n'hésiterai pas.

Dominic Ma famille est ici, mes amis aussi. Je suis très bien en France. Et puis, j'ai vu, il y a quelque temps, un reportage à la télévision sur des jeunes Français qui travaillaient comme des fous dans des pubs pour pas grand-chose. Autant rester chez soi. Alors pourquoi repartir à zéro ailleurs, dans un pays qui, en plus, ne me fait pas rêver du tout. Si je dois apprendre l'anglais, je l'apprendrai dans des livres.

Sophie Je fais des études de comptabilité et on demande de plus en plus de connaître l'anglais. Alors, si j'avais une opportunité de partir, je sauterais sur l'occasion. Mais pour le moment, je ne vois rien venir! De toute façon, je ne voudrais pas y rester longtemps. Disons un an, pas plus. Je préfère faire une carrière professionnelle en France plutôt qu'en Angleterre où les habitants me paraissent trop différents des Français.

Guenaël Ça me tentait tellement que je vis en Angleterre depuis un an. Cela m'a permis d'apprendre l'anglais mais aussi, maintenant, d'affiner la langue. Je suis tout à fait ravie: financièrement, on y gagne, quand, comme moi, on a une qualification. Et puis question impôts, c'est mieux aussi: on en paye moins qu'en France et ils sont directement prélevés sur le salaire.

Catherine Je n'ai rien contre le fait d'aller travailler en Angleterre. Au contraire. Les Français se plaignent beaucoup mais ils devraient moins se regarder le nombril. Cela dit, je n'ai pas eu jusqu'à présent l'opportunité d'aller vivre outre-Manche mais tout est possible puisque je travaille dans une société qui fait de l'import-export. Ce qu'il faut surtout, c'est accepter d'être mobile professionnellement.

6.3A Answers

	Attitude	Reasons/Other information
Samuel	positive	• you must have an open mind • companies becoming multinational • good to learn language and meet foreigners/others
Dominic	negative	• saw TV report about young French people working in English pubs for very low wages • England holds no attraction for him
Sophie	positive/ neutral	• studying accountancy, for which English is increasingly in demand but would want to spend no more than one year in England because the English seem, to her, too different from the French
Guenaël	positive	• been living in England for a year • financially advantageous, especially if like her, you have a qualification • taxes lower than in France and deducted at source
Catherine	positive	• French too insular/inward-looking/ navel-gazing • not yet had chance to work in England • working for import-export company so anything is possible • one must be flexible professionally

6.3B Answers
1 il faut s'ouvrir à tous les horizons
2 autant rester chez soi
3 je sauterais sur l'occasion
4 tout à fait ravie
5 moins se regarder le nombril

6.3C Answers
Personal response.

6.4 *Les femmes montent en puissance* (✓)

6.4A Answers
Nadine: 2, 3, 7, 8, 10, 12, 13, 14
Virginie: 1, 4, 5, 6, 9, 11, 15

6.4B Answers
1c **2**a **3**c **4**b **5**c **6**c **7**a **8**b **9**c **10**c **11**a

6.4C Answers
Personal response.

6.5 *Quotas ou pas quotas?* (*)

6.5A Answers
Allow any reasonable formulations.

90:	le pourcentage de femmes souhaitant une femme comme Premier ministre
84:	le pourcentage de Français ravis à l'idée d'une Présidente
30:	le pourcentage de candidates pour les socialistes aux dernières élections
2:	la chaîne de télévision nationale
63:	le total de députées élues aux dernières législatives
5,5 et 5,6:	les pourcentages de femmes à l'Assemblée et au Sénat
1946:	l'année après l'avènement du droit de vote pour les femmes, où il y a eu plus de députées qu'aux dernières législatives
1995:	l'année où Alain Juppé a(vait) créé l'Observatoire de la parité

6.5B Answers
1
- La France n'est pas prête à laisser une femme accéder aux plus hautes fonctions de l'État.
- «Il est anormal qu'il y ait aussi peu de femmes qui se présentent» aux élections.
- La France est encore très à la traîne, dans le domaine de la parité, dans le peloton de queue de la classe européenne.
- La gent féminine représente un peu moins de 11% des députés.
- En 1946 ... elles étaient plus nombreuses ... qu'aujourd'hui.
- Lionel Jospin ... a proposé d'inscrire dans la loi fondamentale «l'objectif de la parité entre les femmes et les hommes». (5 points)

2
- La précédente majorité n'avait pas fait siennes les conclusions de cet organisme (= l'Observatoire de la parité).
- Cette notion d'objectif de la parité reste vague.
- C'est (= la parité est) autrement plus complexe dans les scrutins uninominaux.
- ... Possible de présenter autant de candidats femmes ..., mais rien ne peut garantir que la parité subsistera au niveau des élus.
- Une révision de la constitution est ce qu'il y a de plus difficile à effectuer en période de cohabitation ...
- Elle nécessite la totale coopération du président de la République et le bon vouloir du Sénat.

6.5C Answers
Personal response.

6.6 *Le portable est son vrai bureau*

6.6 Transcript
Mon bureau? Je n'en ai pas! Mon bureau, c'est la rue, c'est ma voiture, et surtout c'est mon portable, on peut me joindre n'importe quand. C'est mon lien principal avec mon patron, d'ailleurs. Il se trouve d'habitude à Agen, c'est à environ 800 kilomètres de Paris. Mais il n'a pas de bureau, lui non plus! Quand il lui faut réunir tous les commerciaux, il loue une salle quelque part, dans un hôtel. Ben, je travaille, je suis commercial pour une entreprise spécialisée dans la chaussure et, comme des milliers d'autres commerciaux, je suis complètement autonome. Et, quand je ne suis pas chez les clients, je prospecte, soit d'une cabine téléphonique, soit de mon portable. Je n'ai pas de secrétaire, non plus. C'est la messagerie qui me tient lieu de secrétaire, autrement pour le reste je suis entièrement libre. Il n'y a pas de réunions, pas de temps perdu. Par contre, il n'y a pas d'équipe sur laquelle je peux compter s'il y a un problème. J'ai un objectif à remplir à chaque saison et je fais chaque semaine un rapport d'activité à mon patron, sur l'évolution de la marque, les ventes de la semaine, enfin, etc. etc. Je lui envoie mes rapports, soit par fax, soit par courrier et j'adresse aussi chaque semaine ma note de frais à l'entreprise et c'est tout. J'envoie aussi un rapport hebdomadaire, que je rédige chez moi. J'ai une pièce entière réservée à mes activités professionnelles, un téléphone, fax, ordinateur et dossiers. La solitude? Mais non, non, non! Etre seul ne me pèse pas du tout. Je suis amené à voir beaucoup de gens, ne serait-ce que des clients.

6.6A Answers
Correct order: 7, 9, 4, 2, 10, 1, 5, 3, 8, 6.

6.6B Answers
1 trouve **2** dirait **3** en **4** veut **5** contact
6 obligation **7** envoyer **8** hebdomadaire
9 lui **10** seul

6.6C Answers
Personal response.

6.7 *Les chômeurs, qu'en pensez-vous?* (*)

6.7 Transcript

Interviewer Le chômage, actuellement, est pourtant un problème assez sérieux, assez grave?

Mme Croze Oui, c'est très grave. Tout le monde, tout le monde parle du chômage c'est, c'est très important. On arrive à un pourcentage, je crois, je crois qu'on est arrivé à 10 pour cent de la population. C'est, c'est terrible, c'est, c'est beaucoup. C'est, c'est effrayant mais je crois que le tort, c'est qu'on a trop habitué les gens à être, disons, ... trop dépendants parce qu'ils sont habitués à ... ils sont au chômage, ils touchent une bonne indemnité de chômage, ils sont malades, ils touchent une indemnité de maladie. On a habitué les gens à être assistés. Et c'est terrible parce qu'avant, les gens avaient des problèmes pour trouver du travail mais ils se débrouillaient parce qu'il fallait qu'ils se débrouillent pour vivre. Maintenant, vous êtes au chômage, vous avez une bonne indemnité de chômage et vous n'avez pas envie de reprendre le travail. Alors, il y a des gens qui profitent un peu de cette situation. Par contre, il y a des chômeurs qui sont vraiment à plaindre parce que, ... ils ne trouvent pas le travail qui correspond à ce qu'ils savent faire. Il n'y a plus de postes à créer. J'ai connu des chômeurs vraiment malheureux qui auraient fait n'importe quoi pour travailler mais qui ne pouvaient pas travailler. Par contre, il y a ces chômeurs qui trouveraient du travail mais qui ne veulent pas travailler parce que leur indemnité leur suffit pour vivre. Ils font un travail, ce qu'on appelle «au noir», en France. Ils ont le chômage, ils restent chez eux, et ils travaillent, ce qui leur fait gagner de l'argent sans payer d'impôts. Alors, nous qui travaillons toute la journée, qui payons beaucoup d'impôts, on se, ... on arrive moins, ... on vit moins bien que certaines personnes au chômage et c'est ce qui fait que, ... on n'apprécie pas trop, voilà.

Interviewer D'accord, et c'est surtout la population immigrée qui fait ... ?

Mme Croze Non, non, non ... les immigrés, non. Moi, ceux que je connais, ce ne sont pas des immigrés, ce sont des gens, disons, pas très courageux, je pense, hein, et qui ont trouvé la solution de toucher de l'argent sans travailler.

6.7A Answers

Suggested answer.

- They have been encouraged to be too dependent on the State.
- They receive generous unemployment and sickness benefits.
- Because of this, people do not want to go back to work.
- Some unemployed people could find work but they don't want to because their benefit payments are enough for them to live on.
- They work in the "black economy", do not pay taxes.
- They receive unemployment benefit.

6.7 Coin accent Transcript (M then F)

Oui c'est très grave. Tout le monde, tout le monde parle du chômage, c'est, c'est très important.

On arrive à un pourcentage, je crois qu'on est arrivé à 10% de la population.

C'est terrible, c'est, c'est beaucoup.

6.7B–E Transcript

Le Chômeur

L'ouvrier est dehors, dans la rue, sur le pavé. Il a battu les trottoirs pendant huit jours, sans pouvoir trouver du travail. Il est allé de porte en porte, offrant ses bras, offrant ses mains, s'offrant tout entier à n'importe quelle besogne, à la plus rebutante, à la plus dure, à la plus mortelle. Toutes les portes se sont refermées.

Alors, l'ouvrier a offert de travailler à moitié prix. Les portes ne se sont pas rouvertes. Il travaillerait pour rien qu'on ne pourrait le garder. C'est le chômage, le terrible chômage qui sonne le glas des mansardes. La panique a arrêté toutes les industries, et l'argent, l'argent lâche s'est caché.

Au bout des huit jours, c'est bien fini. L'ouvrier a fait une suprême tentative, et il revient lentement, les mains vides, éreinté de misère. La pluie tombe; ce soir-là, Paris est funèbre dans la boue. Il marche sous l'averse, sans la sentir, n'entendant que sa faim, s'arrêtant pour arriver moins vite. Il s'est penché sur un parapet de la Seine; les eaux grossies coulent avec un long bruit; des rejaillissements d'écume blanche se déchirent à une pile du pont. Il se penche davantage, la coulée colossale passe sous lui, en lui jetant un appel furieux. Puis, il se dit que ce serait lâche, et il s'en va.

La pluie a cessé. Le gaz flamboie aux vitrines des bijoutiers. S'il crevait une vitre, il prendrait d'une poignée du pain pour des années. Les cuisines des restaurants s'allument; et, derrière les rideaux de mousseline blanche, il aperçoit des gens qui mangent. Il hâte le pas, il remonte au faubourg, le long des rôtisseries, des charcuteries, des pâtisseries, de tout le Paris gourmand qui s'étale aux heures de la faim.

Comme la femme et la petite fille pleuraient, le matin, il leur a promis du pain pour le soir. Il n'a pas osé venir leur dire qu'il avait menti, avant la nuit tombée. Tout en marchant, il se demande comment il entrera, ce qu'il racontera, pour leur faire prendre patience. Ils ne peuvent pourtant rester plus longtemps sans manger. Lui, essayerait bien, mais la femme et la petite sont trop chétives.

Et, un instant, il a l'idée de mendier. Mais quand une dame ou un monsieur passent à côté de lui, et qu'il songe à tendre la main, son bras se raidit, sa gorge se serre. Il reste planté sur le trottoir, tandis que les gens comme il faut se détournent, le croyant ivre, à voir son masque farouche d'affamé.

6.7B Answers

1e **2**g **3**a **4**b **5**h **6**c
(d and f = distractors)

6.7C Answers

Suggested answer.

1 personne ne lui a offert de travail
2 les bourgeois ne veulent pas le regarder
3 après une semaine
4 épuisé par la pauvreté
5 il marche plus vite

6.7D Answers

Suggested answer.

1 Malgré le fait qu'il accepte de travailler pour 50% du salaire habituel, il cherche en vain un emploi.
2 En rentrant chez lui par mauvais temps, il est tenté de se noyer dans la Seine.
3 S'il volait des bijoux il pourrait acheter de la nourriture à sa famille.
4 Il avait fait une promesse à sa femme qu'ils pourraient manger le soir, mais c'était un mensonge.
5 En le voyant, les bourgeois l'ont évité, croyant qu'il avait bu de l'alcool.

6.7E Answers

Personal response.

6.8 *«J'ai pris l'habitude de tout compter»*

6.8A Answers

1 pris **2** content **3** où **4** gagnait **5** mensuel **6** plus **7** recevait **8** retraité **9** à **10** payer **11** pour **12** chaque **13** lui **14** recevoir **15** digne **16** énuméré **17** moyens **18** suffisamment/assez **19** rentier **20** locataires

6.8B Answers

1 Marcel est d'accord/fait oui de la tête
2 il ne livre plus de lettres
3 il a assez d'argent pour acheter des boissons à ses amis
4 je ne gaspille pas mon argent
5 le gouvernement nous promettait une bonne retraite

6.8 Consolidation Answers

1 **a** Il aura 67 ans.
b Il sirotera lentement sa bière.
c Ça fera deux ans que je serai parti(e).
d Je ne m'en plaindrai pas trop.
e Jacques énumérera sans en révéler les montants.
f Une assurance-vie qui lui assurera dorénavant une rente.
g Sa pension lui permettra d'en offrir au café.
h Il faudra faire attention.
i Ses mains témoigneront de longues années de labeur.

2 **a** Il aurait 67 ans.
b Il siroterait lentement sa bière.
c Ça ferait deux ans que je serais parti(e).
d Je ne m'en plaindrais trop.
e Jacques énumérerait sans en révéler les montants.
f Une assurance-vie qui lui assurerait dorénavant une rente.
g Sa pension lui permettrait d'en offrir au café.
h Il faudrait faire attention.
i Ses mains témoigneraient de longues années de labeur.

6.8C Answers

Jacques gives a list without revealing the amounts: a life insurance policy which guarantees him for the future an income which he says is sufficient, some savings (which he won't touch unless he absolutely has to) and a storey of his house let to a young couple. "Without that," he says, "I'd be struggling financially. That's how it usually is for people my age. We lived through the war and its restrictions. Having a nest egg is something that we have in our blood." Next to him, Marcel, a former postman, nods in agreement. He hasn't delivered letters for ten years.

6.9 *«Que feriez-vous si vous gagniez au Loto?»* (✓)

6.9A & B Transcript

Chantal J'arrête de travailler tout de suite. Je change de vie tout de suite. Et puis je fonce sur une île au soleil, où il n'y a pas un chat! Rien faire, juste ce qui me plaît. Je vivrais de ma pêche et je ferais le tour des îles en bateau. Je ne mettrais surtout pas mon argent à la banque, mais plutôt dans l'immobilier.

Donald Tout de suite j'achète un bel appartement meublé, comme il faut. Le reste, je le place à la banque dans des Sicav*. Un investissement sûr. Les vacances, les voyages, tout ça, je n'ai pas besoin. Je connais déjà tous les Etats-Unis. Je suis né à New York à Long Island. Tout est pareil. Le soleil, c'est pas mon truc! La campagne non plus c'est pas mon truc! Je resterais dans Paris: c'est une histoire d'amour.

Raoul J'achèterais ou plutôt je rachèterais ma voiture. J'ai été obligé de la vendre: une belle turbo! Je penserais à mes enfants: une maison pour ma fille et une autre pour mon fils. Ensuite, je placerais l'argent pour bien vivre. Je voudrais trouver un travail moins dur que le mien dans le bâtiment. Après je partirais au Brésil un à deux mois parce que ma famille habite encore là-bas.

Antonio Qu'est-ce que je ferais? J'en sais rien! Eh ben j'achèterais une maison dans les Yvelines. Je partirais pour les Etats-Unis, au Texas, au pays des cow-boys. S'il me reste quelque chose, je me paierais une maison au bord de la mer. Mais en tout cas, je continuerais à jouer à la pétanque à Dauphine. Et puis, je jouerais toujours aux courses ... mais un petit peu plus!

Jeanne Je placerais tout de suite mon argent dans l'immobilier. Pas question de tout dépenser d'un coup. Mais je n'oublierais pas de me faire plaisir, une villa, une BMW. Je ferais des cadeaux à ma fille et à mon mari. J'essaierais de faire des dons pour les enfants handicapés. Mais en aucun cas je ne changerais de ville. Je suis bien comme je suis.

* Sicav = Société d'investissement à capital variable (*unit trusts*)
** Male voice in *Coin accent* says «ma femme»

6.9A Answers

1. Donald
2. Antonio
3. Raoul
4. Chantal
5. Donald
6. Jeanne
7. Antonio
8. Chantal
9. Jeanne
10. Raoul

6.9B Answers

1. Chantal foncerait tout de suite sur une île au soleil où il n'y aurait pas un chat.
2. Donald s'achèterait un bel appartement meublé et placerait le reste de son argent à la banque.
3. Raoul voudrait trouver un travail moins dur dans le bâtiment.
4. Antonio partirait aux Etats-Unis puis, s'il lui restait de l'argent (quelque chose), il se paierait une maison au bord de la mer.
5. Jeanne placerait son argent dans l'immobilier mais elle n'oublierait pas de se faire plaisir.

6.9 Coin accent Transcript (M then F)
See 6.9A&B transcript, from «J'achèterais ou plutôt je rachèterais ma voiture ... » to « ... parce que ma famille habite encore là-bas»; from «Qu'est-ce que je ferais?» to « ... mais un petit plus»; from «Je placerais tout de suite mon argent ... » to « ... je suis bien comme je suis».

6.9C Answers

1. Il y a plus de dix ans, un camionneur a gagné une grosse somme (d'argent) au Loto.
2. Il a cessé de travailler et s'est montré très généreux envers les gens qu'il aimait.
3. Cependant il a dépensé tout l'argent qu'il/ce qu'il avait gagné et il a quitté Lyon pour vivre/et est allé vivre/habiter ailleurs.
4. Cinq ans après son aubaine il s'est marié avec une femme qui était beaucoup plus jeune que lui.
5. Les deux ont loué une maison et, plus tard, la femme de Georges a donné naissance à un enfant.

6.9 Consolidation Answers

Conditional

1. vivrais
2. ferais
3. mettrais
4. resterais
5. j'achèterais; je rachèterais
6. penserais
7. placerais
8. partirais
9. paierais
10. continuerais
11. oublierais
12. ferais
13. essaierais
14. changerais

Perfect of reflexive verbs

1. Tous deux se sont installés près de Castelnaudary.
2. Les factures se sont accumulées.
3. Tous deux se sont acharnés à jouer au Loto.
4. L'incroyable s'est produit.
5. «Je m'en suis souvenu très bien», dit le gérant.
6. Ils se sont fait remettre leur chèque.
7. «Il avait promis à sa femme de ne plus faire des bêtises», s'est souvenu encore l'hôtelier.

6.9D & E Answers
Personal response.

6.10 *Topaze*

6.10 Transcript

Topaze Supposons maintenant que par extraordinaire un malhonnête homme ... ait réussi à s'enrichir. Représentons-nous cet homme, jouissant d'un luxe mal gagné. Il est admirablement vêtu, il habite à lui seul plusieurs étages. Deux laquais veillent sur lui. Il a de plus une servante qui ne fait que la cuisine, et un domestique spécialiste pour conduire son automobile. Cet homme a-t-il des amis?

L'élève Cordier lève le doigt. Topaze lui fait signe. Il se lève.

Cordier Oui, il a des amis.

Topaze, *ironique* Ah? vous croyez qu'il a des amis?

Cordier Oui, il a beaucoup d'amis.

Topaze Et pourquoi aurait-il des amis?

Cordier Pour monter dans son automobile.

Topaze, *avec feu* Non, monsieur Cordier ... Des gens pareils ... s'il en existait, ne seraient que de vils courtisans ... L'homme dont nous parlons n'a point d'amis. Ceux qui l'ont connu jadis savent que sa fortune n'est point légitime. On le fuit comme un pestiféré. Alors, que fait-il?

Elève Durant-Victor Il déménage.

Topaze Peut-être. Mais qu'arrive-t-il dans sa nouvelle résidence?

Durant-Victor Ça s'arrangera.

Topaze Non, monsieur Durant-Victor, ça ne peut pas s'arranger, parce que, quoi qu'il fasse, où qu'il aille, il lui manquera toujours l'approbation de sa cons ... de sa cons ...

Il cherche des yeux l'élève qui va répondre. L'élève Pitart-Vergniolles lève le doigt.

Pitart-Vergniolles De sa concierge.

6.10A Answers

Personal response.

6.10B Answers

1 soit parvenu à avoir beaucoup d'argent
2 il porte des vêtements très élégants
3 deux domestiques le servent
4 on s'éloigne de lui comme d'un malade contagieux
5 tout ira mieux

6.10C Answers

Topaze Let's suppose now that by some strange chance a dishonest man manages to become rich. Imagine this man, enjoying his ill-gotten gains. He's wonderfully dressed and has an enormous house all to himself. Two servants attend to his every need/look after him. He also has a maid whose sole job is to cook, and another servant who acts as his chauffeur. Does this man have friends?

Cordier raises his hand. Topaze nods to him. He stands/gets up.

Cordier Yes, he has friends.

Topaze, *ironically* Oh? You think he has friends?

Cordier Yes, he has lots of friends.

Topaze And why will/should he have friends?

Cordier To ride in his car.

Topaze, *with feeling* No, Cordier, ... People like that ... if they existed, would be nothing but vile sycophants ... This man we're talking about has no friends at all. Those who knew him previously know that his wealth is undeserved/illegitimate. They avoid him like the plague. So, what does he do?

Durant-Victor He moves house.

Topaze Perhaps. But what happens in his new place?

Durant-Victor It'll be fine.

Topaze No, Durant-Victor, it can't be fine, because, whatever he does, wherever he goes, he will never feel at ease with his con ...

He looks around for a pupil who can reply. Pitart-Vergniolles raises his hand.

Pitart-Vergniolles His concierge.

6.11 *La plage privée*

6.11A Answers

e Monsieur Richard a acheté
i une maison luxueuse.
k Il ne voulait pas que n'importe qui
b se fasse bronzer sur sa plage privée.
m Il a donc fait construire une barrière
q pour empêcher le public d'y pénétrer.
p Un jour il a décidé de
n descendre à sa plage
c après avoir bu plusieurs verres de champagne.
h Il est entré dans l'eau mais
j malheureusement il ne savait pas
d nager.
l Il a crié «au secours!»
a Personne n'a pu l'aider.
o Monsieur Richard a fini
f par se noyer.

6.11B Answers

Personal response.

6.12 *Travail de synthèse*

Personal response.

Unité 7 *Crime et châtiment*

7.1 *Quand est-ce qu'un jeu devient un délit?* (✓)

7.1A Answers
1 se tortillent **2** morts de trouille
3 se noie dans le chagrin
4 s'épanche auprès de **5** farfelu
6 se confectionne **7** se rend **8** en tant que
9 de hautes sphères **10** s'exécute

7.1B Answers
1i **2**g **3**j **4**b **5**d **6**c **7**l **8**e **9**a **10**f
(h and k are distractors)

7.1C Answers
Personal response.

7.1 Consolidation Answers
1 a se tortiller **b** se noyer **c** s'épancher
d s'ajouter **e** se confectionner **f** se rendre
g s'appeler **h** s'exécuter **i** se promener
2 a me promenais
b s'est confectionné (*no* agreement)
c se sont noyés **d** s'appelait
e se sont rendues **f** s'est ajouté
3 a I was walking along the street when I saw a friend.
b My sister made herself a lovely dress.
c They didn't have the strength to reach the river bank, so they drowned.
d Before he changed his name, the singer was called Prince.
e After receiving an urgent call, they went to the hospital.
f The armed robbery was added to the list of the crimes he had committed.

7.2 *Délinquance au féminin*

7.2A Answers
1 vrai **2** faux **3** vrai **4** n'est pas dit **5** vrai
6 vrai **7** n'est pas dit **8** faux **9** vrai **10** vrai

7.2B Answers
Suggested answer.
1 qu'on lit souvent dans les journaux
2 des gens ivres qui errent dans les rues, la nuit
3 pour les voler
4 l'accusée
5 un des endroits où elle aime surtout agresser les gens
6 l'apparence ordinaire
7 après avoir obtenu ce qu'elle voulait
8 se hâtait de s'éclipser
9 attaques commises par l'adolescente
10 elle a avoué qu'elle était coupable

7.2C Answers
From slaps to punches
The girl usually acted in the presence of a group of boys. Apparently, they didn't take (any active) part but their presence, it seems, had the effect of intimidating the potential victims. The scenario was almost always the same. The young woman, with her ordinary appearance yet very obviously jumpy manner, would start by verbally threatening the people she had targeted. Then came the demand that they hand over the contents of their bags or pockets, and preferably some money. If they resisted, she went into action: pulling hair, slapping or punching. Once she had got what she wanted, the young woman, flanked by her escorts, wasted no time in making herself scarce.

7.2D Answers
1b apparaissent **2c** une **3b** quotidiens
4b s'agit **5a** nombre **6c** croissant
7b répand **8a** également **9b** affaire **10a** sait
11c existe **12a** emporte **13c** méfiez
14b engeance **15c** marche

7.2 Consolidation Answers
1 s'en prenait, sévissait, constituaient, agissait, intervenaient, était, était, s'accompagnait, commençait, prenait, s'ensuivait, passait, s'empressait
2 a Ils s'en prenaient à des lycéens.
b La ligne de bus constituait son terrain de chasse préféré.
c Vous preniez pour cible des enfants plus jeunes, n'est-ce pas?
d Les ados commençaient par menacer leurs victimes.
e Nous n'agissions pas comme eux quand nous avions dix-sept ans!

7.3 *Enfants – et criminels* (❊)

7.3A Answers
Il ne va à l'école que de temps en temps et il ne fait aucun effort pour obtenir une qualification.
Il a déjà commencé/entamé sa carrière de voleur.
Son père est chômeur. Apparemment, Bruno connaît déjà la violence chez lui (son père le menace).
Ses parents ne semblent pas s'intéresser à son avenir – ce qui les inquiète, c'est l'argent qu'ils doivent payer à cause de son vol de scooter.

7.3B Answers
1 Personal response.
2 Elle n'a pas de vie privée.
3 Il a volé un scooter.
4 Personal response.
5 Personal response.
6 Personal response.

7.3C Answers
Personal response.

7.3D Answers
1 aux cheveux noirs et aux yeux noirs
2 quelqu'un qui ne sait pas bien lire ni écrire
3 qui a l'air honteux mais qui n'est pas sincère
4 Marie a souvent entendu cette histoire; on la lui raconte tout le temps.
5 Il s'en fiche pas mal.

7.3E Answers
1a encore **2c** expérimenté **3c** assidu **4b** presque **5c** pas **6b** diplôme **7a** au **8c** respectueux **9a** doucement **10b** certain **11c** différence **12a** affaire **13c** ou **14b** dont **15c** suivi

7.3F Answers
Personal response.

7.4 *Quel crime?* (✓)

7.4A & B Transcript
1 En rentrant tard un soir à son domicile parisien, un homme croise dans le hall de l'immeuble un jeune homme pliant sous le poids de gros paquets. Serviable, il lui tient la porte et l'aide à porter ses lourds sacs ... avant de découvrir son appartement dévalisé et de se rendre compte qu'il venait de faciliter cordialement la tâche de son cambrioleur!
2 Une jeune femme de 21 ans, qui passait dans une rue du centre de Bordeaux, dimanche vers deux heures, a été très sérieusement blessée par un sac poubelle jeté d'une fenêtre. La victime a été hospitalisée au C.H.R., où les médecins lui ont posé une quarantaine de points de suture. Le sac, qui contenait des bouteilles, avait été lancé par un adolescent qui faisait la fête dans un appartement du troisième étage.
3 David M., 23 ans, enchaîne les vols dans des maisons de Choisy-au-Bac en ce début d'année. Il neige. Les policiers n'ont qu'à suivre ses traces de pas. Et surprise, ils cueillent le jeune voleur, endormi tranquillement dans la maison qu'il était en train de cambrioler ... Il a fini sa sieste en garde à vue.
4 L'automobiliste retrouvé tué au volant de sa voiture n'avait pas été victime d'une querelle d'automobilistes comme l'affirmait son passager blessé. Le meurtrier voulait, sous prétexte de lui acheter de l'héroïne, s'emparer de la marchandise et de 50 000 F.
5 Après avoir volé une voiture à Grenoble en mars dernier, un escroc en cavale avec ses copains fracture une résidence niçoise pour regarder la rencontre PSG-Parme à la télé. Alertés par le bruit inhabituel, les voisins ont appelé la police. Et le match s'est fini à l'ombre du commissariat. Le PSG a gagné.

7.4A Answers
1 Victime serviable
2 Assommée par un sac poubelle (*not a criminal activity*)
3 Cambrioleur dormeur
4 C'était la drogue
5 Voleur footballeur

7.4B Answers
1 La police a suivi ses traces de pas dans la neige et a trouvé l'homme endormi dans la maison qu'il était en train de cambrioler.
2 Le passager, voulant faire croire à l'automobiliste qu'il voulait lui acheter de l'héroïne, l'avait tué.
4 L'ado avait blessé involontairement une jeune femme qui avait été coupée par du verre cassé.
3 and 5 No factual error.

7.4C
The following (photocopiable) page shows sets of key details of nine crimes, based on reports in the press. Photocopy and cut along the dotted lines to give a different set of details to each student. The transcripts below are of model answers for crimes 1, 4 and 7, which can be used as guidance for students if wished.

incident nº 1
- homme, 53 ans
- tire sur groupe de jeunes
- personne n'est blessé
- samedi soir, Flexanville
- remis en liberté
- comparaîtra devant tribunal, 20 janvier

incident nº 2
- Bordeaux
- Antoine Poujard, 52 ans, boucher
- infidèle
- femme, 48 ans
- couteau
- tué
- téléphone police
- placée en garde à vue

incident nº 3
- Avignon
- chauffard, 35 ans
- en état d'ivresse
- provoqué mort d'ado, 17
- traversait rue
- arrêté après autre accident
- bouteille whisky
- 5 ans de prison ferme

incident nº 4
- environ 15 jeunes
- devant commissariat de Toul
- essaient de libérer 2 camarades arrêtés
- ils avaient giflé 2 policiers
- groupe dispersé avant arrivée des renforts

incident nº 5
- Lyon
- centre commercial de la Part-Dieu
- ménagère, 55 ans
- sac à main volé
- voleur poursuivi par 2 hommes
- capturé après lutte

incident nº 6
- hippodrome de Nancy-Bradois
- 6 chevaux échappés
- stalles ouvertes par?
- 3km de cavalcade
- chevaux récupérés près hôpital
- pas trop de dommages

incident nº 7
- homme, 22 ans
- retrouvé mort
- samedi matin
- Bordeaux
- 04h30
- coups de couteau
- responsable?

incident nº 8
- Lorient
- hold-up
- pharmacie
- hier 19h
- s'apprêtaient à fermer
- 2 voleurs armés
- coups tirés
- personne n'est blessé
- caisse volée
- Peugeot 406 noire

incident nº 9
- Calais
- père, 20 ans
- bébé refuse de manger
- bat enfant
- femme, 17 ans, essaie d'intervenir
- tous deux hôpital
- blessures?
- père placé en garde à vue

7.4C Transcript of model answers

1 Un homme de 53 ans, qui avait tiré sur un groupe de jeunes, sans les atteindre, samedi soir à Flexanville (Yvelines), a été remis en liberté sur ordre du parquet de Versailles, dimanche après-midi. Il comparaîtra le 20 janvier prochain devant le tribunal de Versailles pour violences avec arme.

4 Une quinzaine de jeunes gens ont tenté de libérer deux de leurs camarades qui venaient d'être interpellés et conduits au commissariat de Toul (Meurthe-et-Moselle). Les deux «prisonniers», dont un mineur, avaient essayé d'échapper à deux policiers en leur donnant chacun une gifle. Après leur arrestation, une quinzaine de jeunes s'est alors massée devant le commissariat en réclamant leur libération. Le groupe s'est finalement dispersé avant même l'arrivée de renforts.

7 Un jeune homme de 22 ans a été retrouvé mort samedi matin à Bordeaux, tué de plusieurs coups de couteau. Le corps a été découvert aux environs de 4h30, dans une rue du Vieux-Bordeaux. Une autopsie a été pratiquée.

7.5 *La vie de prison* (✓)

7.5 Transcript

Je dirigeais une petite banque d'affaires, une escroquerie a été commise par l'un de mes clients, pour une somme de 13 millions de francs. Le juge a considéré que j'étais complice, il m'a incarcéré.

La prison, je la connaissais par la télévision. J'avais des clichés dans la tête, je pensais que les prisons étaient confortables, que les surveillants étaient aimables. Le soir même de ma mise en examen, j'étais ici. Un cauchemar. Quand on descend du fourgon cellulaire, on ne sait pas trop où on est. On rentre, hagard, dans la prison. Un surveillant hurle pour que l'on marche comme il faut. C'est comme une chute dans un vide immense, on pose ensuite les pieds sur une terre qui n'est pas la sienne.

Il y a des règles ici, qui ne se transmettent pas. Il faut les découvrir au fur et à mesure, on apprend à ses dépens. La première chose à faire, par exemple, c'est de se construire une *chauffe*, pour tenir le café du matin au chaud.

J'ai déjà assisté à deux bagarres, en cellule et en promenade. Les pédophiles, ils se font taper jusqu'à ce qu'ils tombent, en sang, dans un coin des douches ou de la cour. On ne peut pas intervenir, c'est la loi du plus fort. Ici, il ne faut vivre que pour soi, ne faire aucune réflexion, ou alors tu as intérêt à être bien taillé. Alors je dis oui, tout le temps, je subis. Pour s'en sortir, il faut appartenir à un clan. Au début, je pensais que j'allais sortir rapidement mais les jours se sont écoulés et il ne s'est rien passé.

Je me suis décidé à avoir une activité. J'ai écrit au directeur, je suis devenu comptable. La vie est plus simple, j'ai une cellule individuelle dont la porte est ouverte toute la journée, la télévision, une *chauffe*. Et une douche par jour.

C'est une petite satisfaction d'avoir à s'occuper de célébrités, comme Carlos. Mais le sentiment de privation de liberté demeure, énorme, oppressant. Le soir, l'imagination et les souvenirs vous travaillent. Et il y a les bruits, les ouvertures des portes, les boîtes que se passent les détenus de fenêtre en fenêtre, les cris.

Les autres détenus ne sont pas désagréables, c'est curieux. La prison, pour eux, c'est naturel, ils y reviennent comme on part en vacances. Ils s'y sentent à l'aise. Quant à moi, mes biens vont être vendus, je n'aurai plus rien. Mais je m'en fous, la liberté, ça n'a pas de prix.

7.5A Answers

Correct order: 6, 2, 7, 5, 1, 4, 3.

7.5B Answers

1. You learn mainly by trial and error, you learn the hard way – no-one explains anything to you.
2. Two brawls, one in a cell and one on exercise. Child molesters are beaten to a pulp in the shower or the exercise yard.
3. He learned not to interfere, but to "look after number one", never to argue.
4. He kept out of trouble by never arguing or getting involved. He also decided he had to have some form of work, and is doing some accountancy/book-keeping.
5. Although he mentions violence, he says the other prisoners are generally OK, because they feel at home in prison.

7.5C Answers

1 touchait **2** mois **3** bel **4** symboles
5 réussie **6** troqué **7** affaires **8** informe
9 depuis **10** adapter **11** rouages **12** maison
13 d' **14** de **15** maîtrise

7.5D Answers

Personal response.

7.6 *Un évasion manquée*

7.6A Answers

1f **2**i **3**e **4**j **5**h **6**a **7**g **8**d **9**c **10**b
(k = distractor)

7.6B Answers

1. un nom qui n'était pas vrai
2. quand il s'est évadé
3. il est resté en liberté assez longtemps
4. la seule chose dont il rêve, c'est de s'évader
5. quand elle a été libérée

7.6C Answers
Suggested answer.
Pendant qu'elle purgeait une peine légère, une jeune femme avait rencontré un meurtrier/assassin dont elle était tombée amoureuse. Pour/Afin de fêter l'anniversaire de son nouvel ami elle a décidé de louer un hélicoptère et de le libérer. Il venait de décoller quand elle a braqué un pistolet/revolver sur le pilote, en lui disant de survoler la prison où le détenu était incarcéré. Le pilote, cependant/pourtant, a réussi à persuader sa passagère qu'elle ne pourrait pas atteindre la prison si elle n'avait pas les documents nécessaires. Après avoir atterri, il a saisi son arme et a appelé la police.

7.6D Answers
Personal response.

7.6 Consolidation Answers
1 **a** Je m'étais enfui(e) du centre-ville.
b Aviez-vous réservé des places pour nous?
c Il avait enlevé tous les chats de la famille.
d Les terroristes avaient tué l'ambassadrice et son mari.
e Pourquoi n'aviez-vous pas rangé vos vêtements?
2 **a** Nous nous étions jetés sur les sacs.
b Nous l'avions ceinturée.
c Ils avaient décollé de l'aérodrome.
d Ce spécialiste de l'évasion avait raté son coup.
e Hyver était devenu une figure notoire du grand banditisme.
3 **a** We had thrown ourselves onto the bags.
b We had tackled her.
c They had taken off from the airport.
d This expert escapist had failed to bring it off.
e Hyver had become a notorious figure in the underworld/world of serious crime.

7.7 *Des voleurs – en voyage!* (✻)

7.7A Answers
Correct order: 5, 3, 1, 6, 7, 8, 4, 2.

7.7B Answers
1 estival **2** mis en garde **3** au terme de **4** espèces **5** forfait **6** convoi **7** à l'allure **8** quasiment

7.7C Answers
1 les environs de Marseille **2** Londres **3** Toulouse **4** Saint-Louis-les-Aygalades **5** Paris **6** Nice

7.7D Answers
There is no shortage of misadventures on the railways. Having set out on 20 July from Brive for Paris, a London couple and their three children returned home really angry with the "frog eaters". They had only the clothes they stood up in when they arrived at the Gare Montparnasse. Gary, the father, reported his dismay to *The Independent* which – all being fair in love and war – made a meal of it. "We thought we were safe for the night as we had locked the door." It is true that there is no way of knowing that these gangsters can pick even the most secure locks with a hairpin.

7.7E Answers
1 Le lendemain, les malfaiteurs – ou d'autres qui faisaient comme eux – ont commis d'autres méfaits.
2 Le voyageur – originaire de Toulouse – a refusé d'abandonner ses biens aux malfaiteurs.
3 Quand le passager s'est réveillé il avait mal à la tête et il avait perdu 33 000 francs.
4 La plupart des passagers attaqués viennent d'Italie.
5 Les agents de surveillance de la SNCF (il y en a environ un millier) ne sont pas très optimistes.

7.7F & G Answers
Personal response.

7.8 *Le rôle de la police* (✓)

7.8 Transcript

Première partie
Interviewer Il me semble qu'en France, comme ailleurs, on a une attitude un peu ambivalente envers la police. Qu'en pensez-vous?
Chantal Oui, c'est vrai, c'est vrai que quelquefois quand on voit des troupes de police, ça fait plutôt peur. Par exemple, quand il y a des manifestations et que les CRS arrivent en tenue de combat, c'est plutôt effrayant, on dirait un peu un film de science-fiction. Euh, ils arrivent avec leurs casques et leurs boucliers, les bombes lacrymogènes, euh, les jets d'eau, et, . . . ils font beaucoup de bruit et c'est vraiment très impressionnant. Puis ils deviennent quelquefois très violents et, quand on voit ça, on se demande vraiment si leur présence est légale et si leurs actions sont légales. Si l'on voit ça régulièrement, euh, on a l'impression d'être dans un Etat qui n'est pas une démocratie. Et puis quelquefois on entend

aussi parler de ces policiers qui essaient tellement de se mettre dans la peau des gens qu'ils veulent arrêter, qu'ils sont pratiquement aussi criminels qu'eux. Par exemple, il y a pas longtemps, il y a eu une affaire dans le quartier de la Goutte d'Or à Paris où la police essayait d'arrêter une bande de trafiquants de drogue: ils se sont mêlés aux gens qui importaient de la drogue et en fait ils commettaient des actes tout aussi illégaux, et lorsque des arrestations ont eu lieu ils ont fait preuve d'une violence, ben, totalement gratuite, et qui les montrait plutôt comme des criminels que des policiers.

Deuxième partie

Chantal Puis aussi les policiers qui contrôlent la circulation et la vitesse, quelquefois ils exagèrent quand même. Ils sont là à vraiment attendre de pouvoir attraper quelqu'un même s'il y a pas vraiment quelque chose à reprocher aux automobilistes. Ils prennent un plaisir sadique à essayer de les attraper. Ils vont même jusqu'à les suivre pour essayer de les faire rouler au-delà des vitesses autorisées et, bon, ça, à mon avis, c'est pas bien du tout.

Interviewer Il y a pourtant des moments où on est quand même content que la police soit présente, n'est-ce pas?

Chantal Oui, surtout dans les cas d'urgence. Bon, je me rappelle quand mon père a eu un accident de voiture. Les minutes ont paru longues jusqu'à l'arrivée de la police et quand ils sont arrivés on avait déjà l'impression que tout commençait à aller mieux parce qu'ils sont pleins de sang-froid, ils sont capables de faire face à une urgence ... dès leur arrivée, on se sent plus calme et ils prennent tout en main et vraiment là on les apprécie.

Et, de plus en plus maintenant, on entend parler de voitures volées, de cambriolages, de gens qui sont attaqués dans leur maison et dans des moments comme ça, on se dit que s'il y avait plus de policiers, s'ils étaient présents partout que, finalement, ça irait peut-être mieux. Donc c'est une occasion où on voudrait qu'il y ait un policier à chaque coin de rue. Par exemple ma voisine, tout récemment, elle a eu des cambrioleurs qui sont arrivés chez elle au milieu de la nuit et elle a quand même eu le temps de téléphoner à la police – heureusement la police est arrivée quand même assez vite et quand les voleurs ont entendu les sirènes ils sont partis. Mais s'ils avaient mis plus longtemps à venir, Dieu sait ce qui se serait passé, peut-être qu'ils l'auraient attaquée, peut-être même tuée, on ne peut pas savoir.

Interviewer Croyez-vous finalement que les Français sont plutôt favorables à la police?

Chantal Hmm, je crois que, en pratique oui, euh ... ils respectent une présence de la police et ils savent que c'est essentiel d'avoir des CRS et de contrôler l'illégalité. Mais, d'autre part, comme les Français ont un esprit très anarchique, euh, toute loi pour eux doit être violée un petit peu! Et, bon, si, si la loi dit qu'on peut faire quelque chose à 50 pour cent, le Français voudrait le faire à 55 pour cent! Et il sera très mécontent si la police est là pour essayer de l'en empêcher!

7.8A Answers

Pour:

- Dans les cas d'urgence, on est content que la police soit présente.
- Quand la police est arrivée, tout a commencé à aller mieux.
- Ils sont pleins de sang-froid, capables de faire face à une urgence.
- On entend parler de cambriolages et s'il y avait plus de policiers, ça irait peut-être mieux.
- C'est essentiel d'avoir des CRS et de contrôler l'illégalité.

Contre:

- Quand on voit des troupes de police, ça fait plutôt peur/c'est plutôt effrayant.
- Ils deviennent quelquefois très violents, on se demande si leurs actions sont légales.
- On entend parler de policiers qui sont aussi criminels (que les criminels).
- Les policiers qui contrôlent la circulation exagèrent.
- Ils prennent un plaisir sadique à attraper les automobilistes, c'est pas bien du tout.

7.8B Answers

1. Les policiers peuvent être violents, effrayants, et peuvent donner l'impression d'agir sans respect pour la démocratie. Certains policiers sont même corrompus et aussi criminels que ceux qu'ils poursuivent.
2. Le rôle des CRS est de contrôler les manifestations.
3. Elle trouve les actions des CRS effrayantes, impressionnantes, parfois violentes et à la limite de la légalité.
4. Les CRS font respecter l'ordre, viennent en aide à la population et surveillent la circulation routière sur n'importe quel point du pays. La police municipale a un rôle local et est responsable du maintien de l'ordre sur la voie publique, particulièrement en ville.

7.8C Answers

1 circulent **2** craignent **3** attrape **4** vont **5** a eu **6** savais **7** arrive **8** se sont occupés **9** serait **10** avoir

7.9 *Faut-il armer les policiers municipaux?* (✓)

7.9A Answers

1 Patrick/Yannick **2** Hélène **3** Roger
4 Daniel **5** Personne **6** Daniel **7** Roger
8 Hélène

7.9B Answers

1 On ne peut confier une arme à n'importe qui.
2 un maniaque de la gâchette
3 ils vont s'en donner à cœur joie
4 Comment faire autrement?
5 du côté de chez moi

7.9C Answers

Personal response.

7.9 Consolidation Answers

1 **a** portait **b** est **c** serions **d** avais eu
e lisaient **f** viendrons
2 **a** If the urban police were not armed, potential attackers wouldn't be deterred.
b If you witness a crime, you must inform the police.
c If the urban police were closer to the citizens, we would be happier.
d If I'd had a weapon, I'd have used it.
e If young people read books instead of watching violent films, there would be less crime.
f If you commit a crime, we'll come and visit you in prison.

7.10 *Homicide ou accident?*

7.10 Transcript

Un homme de 32 ans a été condamné hier à cinq ans de prison ferme pour avoir provoqué la mort d'un adolescent de seize ans et rendu paraplégique à vie un jeune homme alors qu'il conduisait en état d'ivresse. A la veille du réveillon de l'année dernière, Ahmed Malki avait renversé les deux jeunes gens qui circulaient à vélo. Le chauffard avait été arrêté un peu plus tard, après avoir provoqué un autre accident. Il avait reconnu devant les policiers avoir ingurgité une bouteille et demie de whisky. Les constatations médicales devaient également révéler qu'il était drogué au moment des faits. Les trois passagers qui l'accompagnaient ont, quant à eux, été condamnés à quatre ans de réclusion pour non-assistance à personne en danger.

7.10A Answers

1 32 ans = l'âge du chauffard
2 5 ans = la peine (de prison) qu'il doit purger
3 16 ans = l'âge de l'ado qui a été tué
4 2 = le nombre de victimes de l'accident
5 1,5 = le nombre des bouteilles de whisky que le chauffard avait bu
6 3 = le nombre de passagers dans la voiture du chauffard
7 4 ans = la peine que les passagers devront purger

7.10B Answers

1 il a été condamné
2 pour avoir provoqué
3 il conduisait en état d'ivresse
4 le chauffard
5 après avoir provoqué
6 il avait reconnu devant les policiers
7 les constatations médicales
8 au moment des faits

7.10C Answers

1 trentaine **2** condamné **3** peine **4** purger
5 commis **6** demie **7** tué **8** circulait
9 marcher **10** blessures **11** suite **12** après
13 arrêté **14** aux **15** trouvera **16** sans
17 trouvaient **18** ayant **19** devoir **20** liberté

7.10D Answers

Personal response.

7.11 *Jugements et verdicts* (✓)

7.11A Answers

Personal response.

7.11B & C Transcript

Frédéric Ma fille va fréquemment à Hong Kong et Singapour pour son travail, et elle revient souvent avec des contrefaçons. Pour l'instant, elle en est satisfaite, même si les montres cessent assez vite de fonctionner. Personnellement, je suis contre, car je préfère la qualité. En plus, je suis conscient des difficultés que cela cause aux industriels dont on copie les produits. Et pour les clients qui pensent acheter une vraie marque de qualité, c'est de l'arnaque.

Paul Même les personnes à petits revenus peuvent s'offrir quelque chose d'élégant. Moi, j'ai déjà acheté des contrefaçons, sans le réaliser. Si le produit ne coûte pas cher, et qu'il me fait envie, je l'achète. Peu importe la qualité. Pour mettre fin à ce système, il faudrait punir les fabricants, pas les clients. Je ne suis pas d'accord pour interdire la contrefaçon. Je préfèrerais qu'on mette en place des contrôles.

Sonia Oh, moi, je ne suis pas du tout contre. Avec la contrefaçon, il se développe un marché parallèle qui ne gêne pas vraiment les grandes marques. Il ne s'agit pas de la même clientèle. Ceux qui ont vraiment de l'argent à dépenser n'achètent pas de contrefaçon, à mon avis. Moi, ça m'est complètement égal. C'est tellement bon marché que j'achète plein d'imitations. C'est vraiment pratique. Si je dois jeter ma fausse Rolex quelques semaines plus tard parce qu'elle ne marche plus, ça ne me dérange pas.

Gaëlle La contrefaçon, je suis totalement contre. Quand on n'a pas les moyens d'acheter des vrais produits de marque, on s'en passe, un point c'est tout. Je reste persuadée que la contrefaçon force certaines entreprises à licencier des travailleurs. Je dois dire que je ne comprends pas ceux qui veulent toujours jeter de la poudre aux yeux. Frimer, paraître élégant à tout prix, ça ne veut rien dire.

Christian C'est une pratique injuste. D'abord, cela casse la concurrence et les vraies marques ne sont pas en mesure de se battre contre les faussaires. Malheureusement, c'est un secteur qui marche bien, et qui est même en plein développement. Moi, si on m'offrait des imitations, je refuserais. Il y a des gens qui risquent de perdre leur travail, à cause de la contrefaçon. Pour moi, il n'y a aucun doute, il faudrait la réprimer.

7.11B Answers

1 Sonia **2** Frédéric **3** Christian **4** Gaëlle
5 Paul **6** Sonia **7** Paul **8** Frédéric
9 Christian **10** Gaëlle/Christian

7.11C Answers

1. pour l'instant
2. Personnellement, je suis contre.
3. C'est de l'arnaque.
4. Peu importe la qualité.
5. un marché parallèle
6. Il ne s'agit pas de la même clientèle.
7. C'est tellement bon marché.
8. je reste persuadée que
9. quand on n'a pas les moyens de
10. Cela casse la concurrence.
11. C'est un secteur qui marche bien.
12. Il faudrait la réprimer.

7.11D Answers

Personal response.

7.11 Coin accent Transcript (M then F)

See 7.11B–C transcript, from «C'est une pratique injuste . . . » to « . . . il faudrait la réprimer».

7.12 *Travail de synthèse*

Personal response.

Unité 8 *Le français dans le monde: la francophonie*

8.1 *L'euro, qu'en pensez-vous?* (✓)

8.1A Transcript

Madeleine Je me crois mal informée sur l'euro.

Arsène Il y aura probablement des effets positifs.

Nelly Pour moi, le problème sera le calcul mental!

Philippe Je suis très favorable à sa mise en place.

Ghislaine Aucun souci! Je suis forte en calcul!

Jean-Marc J'attends avec impatience son arrivée!

Claire L'arrivée de l'euro me cause de l'inquiétude.

Sébastien Quant à moi, je pense qu'il y aura des difficultés quotidiennes!

8.1B Answers

Personal response.

8.1C Answers

Personal response.

8.2 *Interview à la radio* (✓)

8.2A & B Transcript

Chantal Rebonjour de la part de Chantal Lefebvre! Et maintenant, chers auditeurs, chères auditrices, il est huit heures précises. Passons à notre discussion sur le rôle de la France en Europe avec Mimie Bergson et Christian Merlot, agrégés de l'Université, se spécialisant en économie et en politique. A vous de commencer, Mimie Bergson.

Mimie Pour commencer, il faut que nous reconnaissions le rôle toujours changeant de la France en Europe. Par exemple, jusqu'au milieu du XIXe siècle, la France était depuis longtemps ce qu'on peut appeler le premier Etat d'Europe, à l'exception de l'empire russe, étant l'Etat le plus vaste et le plus peuplé après la Russie.

Christian Tout cela a changé en 1870 avec la guerre franco-allemande et avec la Commune. Avec la victoire de la Prusse et l'avènement de ce pays comme puissance mondiale dans le contexte du XIXe siècle, la vie politique européenne se déterminera par les relations franco-allemandes.

Mimie C'est exact! Les guerres de 1870–71, 1914–18 et 1939–45. Et après 1945 et la cessation d'hostilités, il y a eu la construction ou même la reconstruction européenne. Vers la fin des années 50, on a eu le commencement de la Communauté européenne, de la CEE, qui a évolué graduellement, jusqu'à un ensemble élargi en 1992 qui grandit toujours et qui s'appelle maintenant l'Union européenne.

Christian Un axe central et même indispensable de cette construction européenne a été et reste toujours l'alliance franco-allemande, l'Allemagne n'étant plus considérée comme notre ennemi héréditaire. Une influence subtile que je perçois maintenant est l'attitude changeante du Royaume-Uni, qui s'y intègre davantage pour le bénéfice de tous.

Mimie Oui, la Grande-Bretagne donne même l'impression d'être sur le point d'accepter l'euro! Mais, pour nous autres Européens, ce qui est peut-être un peu problématique chez les Britanniques est leur lien un peu trop étroit avec les Américains.

Christian Oui, je suis d'accord avec ça, surtout que la France poursuit une politique d'indépendance vis-à-vis des USA et de la Russie, même si cette dernière n'est plus vraiment une superpuissance. En fait, il faut dire que la France a un rôle tout à fait singulier, ayant quitté l'organisation militaire de l'OTAN en 1966, bien qu'elle ait tendance à agir en sympathie avec le bloc occidental. Pour être honnête, elle trouve toujours difficile d'accepter une OTAN sous domination américaine.

Chantal Tournons-nous maintenant vers l'économie. Mimie Bergson, comment est-ce que la France se situe dans l'Union européenne moderne?

8.2A Answers

1 il faut que nous reconnaissions
2 étant l'Etat le plus vaste et le plus peuplé
3 l'avènement de ce pays comme puissance mondiale
4 la vie politique européenne se déterminera par
5 jusqu'à un ensemble élargi
6 a été et reste toujours
7 n'étant plus considérée comme
8 qui s'y intègre davantage pour le bénéfice de tous
9 même si cette dernière n'est plus vraiment une superpuissance
10 bien qu'elle ait tendance à agir

8.2B Answers

- France had been the no. 1 state in Europe, with the exception of Russia.
- The European community is still growing.
- All should benefit from the UK's changing attitudes.
- Britain's close links with the Americans are still a problem for the Europeans.
- Although France left NATO in 1966, it generally acts in sympathy with the Western bloc.

8.2 Coin accent Transcript (M then F)

See 8.2A–B transcript, from «C'est exact . . . » to « . . . qui s'appelle maintenant l'Union Européenne».

8.2C Transcript

Chantal Passons maintenant à l'économie. Mimie Bergson, comment est-ce que la France se situe dans l'Union européenne?

Mimie Oh, il y a sans aucun doute des atouts pour la France dans l'Union élargie, || mais elle doit quand même accepter les responsabilités imposées par l'Union. || Pour moi, l'exemple le plus évident de ceci est peut-être la position de la France vis-à-vis de la PAC, la Politique Agricole Commune. || L'effet principal de cette politique est de soutenir la production sur le plan laitier et sucrier en garantissant des prix minimum pour les excédents. || Pour accomplir tout cela, il a fallu accepter des réductions dans la superficie des espaces cultivés, ainsi qu'un encouragement au reboisement et à la reconversion de certaines terres agricoles en espaces de loisir. || Sans trop de difficulté, on peut imaginer d'avance la réaction des agriculteurs français, qui ont accepté de telles directives très à contrecœur! ||

Chantal En effet! Repassons maintenant à Christian Merlot. || Je regrette que nous n'ayons plus que quelques secondes. || Mais parlez-nous un tout petit peu de la politique régionale européenne et de la politique d'intégration industrielle. ||

Christian Si nous n'avons que quelques secondes, je serai rapide. || Alors, en bref, la politique d'intégration industrielle a comme but de renforcer la compétitivité des entreprises, || surtout pour que nos industries européennes puissent faire concurrence à l'industrie japonaise qui s'implante un peu partout en Europe, particulièrement en Angleterre. || Avec la baisse actuelle de la valeur du yen et les problèmes au Japon c'est moins problématique. Mais le problème peut toujours resurgir. ||

Quant à la politique régionale européenne, celle-ci favorise les régions en difficulté. || Dans l'Union européenne, il y a 200 régions et il faut repenser le futur des 26 régions françaises, les DOM y compris. || Il y en a, comme la Corse, par exemple, qui ont bénéficié de fonds pour des projets particuliers, tandis que le Nord souffre d'un manque de tels fonds. || Il y a d'autres régions françaises, par contraste, qui ont joué la carte des aménagements transfrontaliers. || Le Midi-Pyrénées et l'Alsace en particulier en sont deux exemples. ||

Chantal Merci bien à tous les deux de votre participation. Je suis désolée de devoir vous couper court maintenant!

8.2C Answers

Suggested answer.

- There are advantages for France in the wider Union but she has also to accept the responsibilities that the Union brings.
- The most obvious example of this is France's position on the CAP (Common Agricultural Policy).
- The main effect of this policy is to support dairy and sugar production by guaranteeing a minimum price for the surpluses.
- To achieve this, there has had to be a reduction in cultivated land area, the encouragement of reforestation and the conversion of some agricultural land for leisure purposes.
- It doesn't take much imagination to predict the reaction of French agricultural workers, who found it hard to accept these directives.
- Indeed! Let's now go back to Christian Merlot.
- I'm sorry we've only got a few seconds left.
- But tell us a little bit about European regional policy and industrial integration policy.
- If we've only got a few seconds, I will be quick.
- Well, to put it briefly, the policy of industrial integration is intended to encourage the ability to compete commercially, especially so that our European industries can compete with Japanese industry which is establishing a base everywhere in Europe, especially in England (Britain).
- With the current drop in the value of the yen and the problems in Japan, it's less of a problem. But the problem can always come back.
- As for European regional policy, this encourages regions experiencing difficulties.
- In the European Union there are 200 regions and we have to rethink the future of the 26 French regions, including the overseas "dependencies".
- There are those/some, like Corsica, for example, who have benefited from funds for specific projects, while the North suffers from a lack of such funds.
- There are by contrast other regions in France which have gone for cross-border developments.
- Midi-Pyrénées and Alsace come particularly to mind.
- Thank you both for taking part.
- I'm really sorry to cut you short now!

8.3 *L'Europe, un nouveau territoire?* (*)

8.3A Answers

1 vrai **2** vrai **3** vrai **4** vrai **5** faux **6** faux **7** vrai

8.3B Answers

1b **2**b **3**a **4**c **5**c **6**a **7**b **8**c

8.3C Answers

1 meneurs **2** militait **3** France **4** étranger **5** maire **6** européen **7** priorité **8** idéale **9** français **10** parler **11** symbolique **12** construction

8.4 *Acheter sa maison en France* (*)

8.4A Transcript

Allô, ici Mme Boulanger, au bureau du P.D-G. Mme Bouleau m'a demandé les prix moyens du mètre carré qui viennent de sortir. Je vous les donne ville par ville, en commençant toujours avec le prix du neuf. Il faut absolument que vous me téléphoniez avec votre réaction. Je commence par Lille.

- Lille: 11300 F neuf, 7600 F ancien.
- Le Havre: 11000 F, 500 F.
- Caen: 10500 F, 6500 F.
- Strasbourg: 15500 F, 9000 F.
- Bayonne: 10500 F, 6300 F.
- Aix-en-Provence: 14000 F, 11000 F.
- Marseille: 11000 F, 5500 F.
- Nice: 15000 F, 8000 F.

Voilà, c'est fini! S'il vous plaît, n'oubliez pas de me téléphoner, ou de m'envoyer un mail. Merci.

8.4A Answers

See transcript.

8.4B Answers

A Mme Boulanger

Merci beaucoup de votre message. Je regrette, mais Mme Bouleau est en voyage d'affaires et je réponds pour elle.

Est-ce que votre service croit que l'euro continuera à stimuler l'intérêt d'autres pays européens pour le marché immobilier français? Croyez-vous aussi que l'euro permettra d'élargir les zones de commercialisation? La Riviera française restera-t-elle la terre de prédilection pour les estivants étrangers? Est-ce que les clients ont aujourd'hui un budget plus serré que l'année dernière?

Les retraités vont-ils continuer à préférer investir dans une résidence plus confortable?

Et le marché du très haut de gamme, est-il menacé pour autant?

8.4C Answers

Suggested answer.

1 Italians, Brits, Americans, Belgians, Dutch, Swiss, Swedes. (7)
2 Yes. The euro. (1)
3 Germans, 13% of purchases. Swiss, 3% of purchases. (4)
4 Yes, it is true. British (and Belgian) private buyers have not regained interest. A lot of British businesses (nearly 240) are making up for that, especially in IT and electronics. (4)
5 Côte d'Opale, Le Touquet, domaine d'Hardelot. (3)
6 Normandy. (1)

8.4 Consolidation Answers

1 pour **2** — **3** — **4** — **5** à **6** — **7** — **8** à

8.5 *Ostende, hier et aujourd'hui* (✓)

8.5A Answers

Ostend as a spa town:

- William Hesketh, English hotelier, developed the bathing machine.
- English/British doctors started the fashion for bathing for health.
- This underpinned Ostend's development as a spa-town.
- After Belgian independence, Léopold, anglophile king who had lived in Brighton for a long time, decided that Ostend should become the Belgian royal family's summer residence.
- Ostend became a fashionable spa because of this and the establishment of a European rail network as well as the construction of a 4km sea wall/embankment.

(maximum: 9 points)

Ostend 1900–1945:

- At end of 19th century, welcomed 200 000 tourists a year.
- Wonderful villas stretched along the sea-front.
- The *beau monde* danced and enjoyed themselves here, even at the outbreak of the First World War.
- The town was spared by the war but it never recovered its carefree pre-war style.
- In the Second World War, almost all of the town was destroyed.
- All that remain today are the *galeries royales* which led from the *chalet royal* to the *hippodrome.*

(maximum: 8 points)

Ostend today:

- Today, the sea-front is concrete and uniform except for a few villas, which escaped the destruction.
- There are neat rows of striped tents on the beach, turning their backs on the ugly new casino (looks like a bunker).
- You can see the white ferries setting off for England.
- Tourists sit and eat mussels and chips.
- Served by a softly-spoken waitress, who calls them *tu,* as the Flemish do.

(maximum: 8 points)

8.5B Answers

Each main point from the French fax is worth one point.

No account should be taken of the (lack) of quality of the language, provided the communication is not obscured.

- Very pleased we're going to do the film (on Ostend).
- Suggests meeting with their publicity director as soon as possible.
- Offers three dates this month: 12th, 13th, or 15th.
- Up to us to choose, but must know tomorrow (3rd) at the latest.
- Could we also let them know:
  1 the optimum length for the film
  2 the approximate price
  3 if it'll be necessary to employ Belgian actors
  4 on which aspects of Ostend the film should concentrate.

(total: 8 points)

8.5C Answers

Merci beaucoup de votre fax et de votre enthousiasme pour le projet.

Nous sommes tout à fait d'accord pour un rendez-vous au plus tôt. Le 12 sera très acceptable. Normalement, les films publicitaires de ce genre durent entre 15 et 20 minutes avec un prix approximatif de 2000 par minute.

Il n'est pas nécessaire de trouver des acteurs. Il vaut mieux interviewer les gens de la ville.

Nous aurons quand même besoin de certains membres de votre personnel, parlant français et hollandais, préparés à doubler la piste sonore.

Si vous êtes d'accord, nous aimerions commencer par les Galeries Royales et le front de mer.

Pour la suite, nous voudrions discuter d'autres endroits possibles avec vous et votre équipe.

Merci beaucoup de votre communication.

Dans l'attente de vous voir, etc.

(total: 13 points, excluding closure)

8.5 Consolidation Answers
accueillait, se mêlaient, s'alignaient, s'amusait, dansait, s'annonçait, épargna, retrouverait, verrait

8.6 *Au pays de la bière* (✓)

8.6A Answers
1 une petite ville à l'ouest de Bruxelles
2 un randonneur expert
3 une plantation de houblons
4 une bière légère
5 les brasseurs principaux de la contrée/région

8.6B Answers
Suggested answer.
||And he points out || the lines || of poles || from which spiral || the hops || which have been cultivated || lovingly || from generation to generation || by the Beck family. || (They are) A farming family || who set up || their own || local brewery in 1994;|| fields on one side of the road,|| brewery on the other || and, for you to taste it all,|| a guest cottage || where the Becks, father and son || welcome their guests || by initiating them into the secrets || of cultivating barley || or brewing.||

(Allow any reasonable version. 1 point for the material between each pair of bar lines, total: 22 + 3 for style = 25 points)

8.6C Answers
Suggested answer.
Monsieur

Permettez-moi de me présenter. Je m'appelle Jacky Smith et je suis secrétaire de l'association *The Really Real Ale Lovers*. Lors de notre réunion mensuelle, les membres de l'association m'ont demandé de vous écrire après avoir vu un article enthousiaste sur vos activités.

Est-ce que vous seriez disposé à accompagner notre groupe d'amateurs de bière pendant notre visite de trois ou quatre jours en Belgique en octobre? Pensez-vous que la famille Beck nous laisserait visiter sa brasserie? Existe-t-il d'autres brasseries célèbres que nous pourrions visiter? Pourriez-vous nous suggérer un itinéraire?

Combien nous faudrait-il payer pour trois ou quatre journées de votre présence? Bien entendu, nous payerions aussi votre hébergement et vos repas.

Dans l'attente d'une réponse favorable,

Je vous prie de croire, Monsieur, à l'assurance de mes salutations distinguées.

Jacky Smith
Secrétaire honoraire

8.6 Consolidation Answers

présent	participe présent	passé composé	imparfait
dédaigne	gravissant	a parcouru	courait
connaît	escaladant	a répéré(s)	égrenait
font	initiant	a balisé(s)	habitait
fabriquent		a répertorié(s)	
est (×2)		est rentré	
jalonnent		a fait halte	
sait (×2)		ai été	
ont		a créé	
use			
s'enroulent			
accueillent			

8.7 *Les beautés de Chimay*

8.7 Answers
Personal response.

8.7 Consolidation Answers
1 un océan argenté **2** un immense désert
3 un vaste champ **4** une source naturelle
5 l'un des plus grands châteaux
6 un maître des arts **7** une auberge forestière
8 un front humide **9** un garçon sauvage
10 un double prix **11** les années 1990

8.8 *Travail de synthèse*

8.8 Answers
Personal response.

8.9 *Charles l'Africain*

8.9A Answers
2C **3**D **5**F **6**A **7**H **8**E **9**G **10**B
(1 and 4: no matching speech bubble)

8.9B Answers
1 faux **2** faux **3** faux **4** vrai **5** vrai **6** vrai
7 vrai **8** faux **9** vrai **10** faux

8.10 *Sur la voie de l'indépendance* (✓)

8.10A Answers
1 métropolitaine **2** brutal **3** européen
4 époque **5** mondiale **6** agriculture
7 événements **8** algérienne **9** Français
10 révolutionnaire **11** civiles **12** série
13 atrocités **14** insurrectionnel **15** pouvoir
16 algérienne **17** année **18** militaire
19 secrète **20** laissent **21** majorité

8.10 Consolidation Answers
prévit, allèrent, eurent, lança, connurent, eut, détourna, se déclencha, instaura, bouleversa, revint, prépara, dressa, vit, eut, tint, lança, menèrent, laissèrent, devint

8.10B Transcript

1 En Algérie, tentative de putsch militaire de la part de l'OAS.
2 Le FLN continue à lancer des actions contre des cibles civiles et militaires.
3 Jour de grande fête en Algérie! Ce pays troublé est enfin indépendant!
4 Bouleversement en Algérie! Les Français d'Algérie ont instauré un pouvoir insurrectionnel!
5 Un nouveau statut va permettre de créer une Assemblée algérienne.
6 Je reçois un rapport d'Algérie par mes écouteurs! Les Français d'Algérie ont dressé des barricades à Alger!
7 L'histoire se répète-t-elle? Le général de Gaulle est de nouveau chef d'Etat.
8 On a négocié aujourd'hui l'accord d'Evian qui laissera la voie ouverte à l'indépendance algérienne.
9 Actualité sensationnelle! L'armée française a détourné l'avion des dirigeants du FLN.
10 On peut enfin dire que la Bataille d'Alger est terminée!

8.10B Answers

1 (avril) 1961
2 1954
3 5 juillet 1962
4 13 mai 1958
5 1947
6 janvier 1960
7 1958
8 18 mars 1962
9 1956
10 septembre 1957

8.10 Coin accent Transcript (M then F)

en 1962 en 1945 les 8,5 millions
à partir de 1947 les près de 9 millions
le 1er novembre 1954
70 en tout 1954–55 1957 le 13 mai 1958
janvier 1960 avril 1961
le 18 mars 1962 le 5 juillet 1962

Note that from 1100, you can say *mille cent* or *onze cents.*

8.11 *La terreur au quotidien* (*)

8.11A Answers

1 postale **2** incessant **3** dévoilées **4** chaque **5** autre **6** familière **7** civile **8** entières **9** derniers **10** frustrés **11** nationale **12** transcendantale

8.11B Answers

|| Ahmed mentions || hatred for the rich, || a thirst for money, || cars and goods:|| "In my block of flats || the last bloke || to be killed || was a member of || the military police.|| Youths from the estate || killed him for money."||

Back to the *El Dzazair* hotel, || formerly the *Saint-Georges,* || where foreign journalists || are obliged to stay. || Given the task || of keeping me safe || and by the same token || of watching || my movements,|| an escort of three plain-clothed policemen || linked via walkie-talkie || to their station || covers || my every move.|| There is rarely || a moment when || I can escape from || this close marking || even if my interviews || take place || away from (the presence of) || my muscular guard dogs || who sometimes tend || to think they're Rambo.||

(Allow any reasonable version. 1 point for the material between each pair of bar lines, total: 35 + 5 for style = 40 points)

8.11C Answers

Personal response.

8.12 *Le français façon Québec* (✓)

8.12 Transcript

Fin de semaine au Saguenay

Depuis que je suis tombé en amour, tous les vendredis soirs je saute dans mon char, pis je monte au Saguenay pour trouver ma blonde, pis foirer avec la gagne de chums. Là-bas, les Bleuets y sont pas achalés, ils lâchent leur fou facilement. Je m'arrête dans une binerie sur le bord de la route pour me sucrer le bec avec la tarte aux bleuets qui est écœuremment bonne. Juste avant de repartir, je prends du gaz parce que ce serait ben plate de rester pogné sur le chemin à me faire manger par les maringouins. Je planche pour arriver au plus vite et être là avant la noirceur. Tiens ben ta tuque et tes bobettes que je me dis, ça va y aller par là! La radio joue au boutte, je suis aux petits oiseaux. Dernier tournant, je vois la maison de ma blonde. La patate fait boum boum en la voyant qui descend de la galerie pour me donner un petit bec dans le cou et me demander dans le creux de l'oreille: «Tu m'aimes-tu?» Je lui réponds: «Fais pas simple, tu sais ben que je t'hais pas, pantoute».

Week-end au Saguenay

Depuis que je suis amoureux, tous les vendredis soirs je prends ma voiture et je me rends dans la région du Saguenay pour retrouver ma petite amie et ma bande de copains. Pour les Bleuets, tout est prétexte à faire la fête et à se libérer de leurs inhibitions. Je fais halte dans un petit restaurant sur le bord de la route pour casser la croûte et je me régale d'une part d'excellente tarte aux myrtilles. Avant de reprendre mon chemin, je fais le plein d'essence car ce serait vraiment dommage de tomber en panne dans cet endroit désert et de me faire dévorer par les moustiques. J'appuie sur l'accélérateur car je veux arriver avant la nuit. Accroche-toi bien, me dis-je tout en restant prudent. La radio à fond, je suis aux anges. En prenant le dernier virage, j'aperçois, le cœur battant, la maison de ma petite amie, je la vois qui s'avance vers moi pour m'embrasser tendrement et me chuchoter à l'oreille: «Tu m'aimes?» Je lui réponds: «Evidemment, et tu le sais très bien».

8.12 Coin accent Transcript

See 8.12 transcript, from «Depuis que je suis amoureux ... » to « ... et ma bande de copains».

8.13 *Le Québec et la France: quelques contrastes* (✓)

8.13A Transcript

Isabelle Si une Québécoise ou un Québécois de dix-sept ans se trouvait implanté en France, quelles différences seraient les plus frappantes? Je pense bien que le climat ... [je] trouve est ...

Nicholas Oui, ben, il y a toujours un choc, je pense ... pour les climats au Québec, on a vraiment quatre saisons bien marquées. En France, il ne fait pas aussi froid, j'ai l'impression.

Isabelle Non, pas vraiment.

Nicholas Puis, aussi, je crois, aussi, pour les ... au niveau personnel, les rapports entre les gens ... sont différents, aussi. J'ai l'impression qu'au Québec, on est très facile d'approche, on se parle facilement, on rencontre des gens dans ... dans les cafés, à l'école, tout de suite les contacts sont créés, on s'échange les numéros de téléphone, tandis que ... en France c'est différent. Les gens prennent plus de temps à se connaître ... L'amitié demande peut-être plus longtemps. Par contre, c'est peut-être moins mobile quand même qu'ici.

Isabelle On a ... ben ... on a la réputation d'être très chaleureux ...

Nicholas Puis, il y a tellement aussi de différences. Je sais pas ce que tu en penses, Isabelle, mais, comme les ... au niveau de l'architecture, il y a tellement à connaître en France ça serait vraiment pour un Québécois ... Un retour pas en arrière, mais un retour pour découvrir ses racines, son histoire, sa culture.

Isabelle Oui, ses, ses ancêtres, aussi. [Oui.] Non, effectivement, tant que ... on pense à ça, nous, on est telle[ment] ... on est une petite ville, très jeune comparativement à la France. Ah, c'est totalement différent.

Nicholas Oui, exactement ... Bon, ben. Les plus frappantes, aussi, au niveau culinaire, j'ai l'impression ... La France ... a des produits qu'au Québec on connaît même pas ou qu'on n'a pas la chance d'avoir ... à cause du climat, par exemple. [Exactement.] Donc, ça c'est une super expérience.

Isabelle Notre nourriture est très différente, parce que ... à cause ... que nous avons des hivers très rigoureux. [Oui.] On a besoin de ... de ... on mange très gras, si je peux dire, parce que ... on a besoin d'être ça ...

Nicholas Des calories ... un peu pour se garder au chaud!

8.13A Answers

1 quelles différences seraient les plus frappantes
2 il y a toujours un choc
3 bien marquées
4 il ne fait pas aussi froid
5 au niveau personnel, les rapports entre
6 sont différents
7 tandis que ... en France
8 Par contre
9 moins mobile
10 qu'ici
11 il y a tellement aussi de différences
12 au niveau de l'architecture, il y a tellement à connaître en France
13 un retour pour découvrir
14 c'est totalement différent
15 Les plus frappantes
16 au niveau culinaire
17 qu'au
18 on connaît même pas
19 à cause du climat
20 des hivers très rigoureux

8.13B Transcript

Rod Tu connais un peu la France ... quelles sont pour toi les différences entre un Québécois et un Français?

Nicholas Elles sont extrêmement nombreuses. Je me sens plus à la maison quand je suis en Angleterre que quand je suis en France [très intéressant]. En France, même, je vous dirais, presque le seul point commun, c'est que ce sont mes ancêtres [qui] sont partis de la France et je trouve leur langue extrêmement différente ... leurs expressions ... de ce qu'on peut parler au Québec ... aussi d'autres différences en France, c'est la façon de vivre. Ils sont beaucoup plus latins, comme tempérament, que les Québécois le sont ... euh ... donc, ce qui fait en sorte que, bon, mais ça provoque des fois des, des incompréhensions des deux côtés.

Le mode de vie est très différent aussi ... on ressemble beaucoup plus aux Britanniques, pour ce qu'il y a par exemple de l'art des repas, de la façon de cuisiner, de ce qu'on mange, par exemple. Le système, notre système ... juridique est basé sur le système britannique, plutôt que sur le système français, par exemple. Donc tout ça fait en sorte que la France est malheureusement plus un pays étranger pour moi.

8.13B Answers

1 nombreuses **2** Angleterre **3** ancêtres **4** langage **5** latin **6** Britanniques **7** France **8** base **9** étrangère

8.14 *Une éducation québécoise*

8.14 Transcript

Rod Et comme certificats, qu'est-ce que tu as fait comme études, toi?

Isabelle Moi, j'ai fait une technique administrative. Au Québec, après le, le, le secondaire on va au CGEP, puis après on va à l'université. Mais, moi je ...

Rod Le CGEP, ça c'est quoi exactement?

Isabelle Le CGEP, c'est ... comment je pourrais dire ... c'est comme ... la majorité des personnes ... on n'a pas le choix d'aller au CGEP, c'est au moins deux ans minimum, c'est comme une transition pour aller à l'université. C'est une formation généralement ... qui est générale, mais il y a aussi des techniques ... des, des, des professions que tu peux étudier au CGEP. Donc, moi, c'est ce que j'ai fait, un cours de trois ans en administration.

8.15 *Radio-Canada, Télé-Québec* (✓)

8.15A Transcript

Radio-Canada *Aux Beaux Dimanches*, pour la première fois une émission de deux heures consacrée au *Show du Refuge*, avec Dan Bigras, dont la huitième édition a été enregistrée au Spectrum de Montréal le 24 novembre. Comme par le passé, les caméras sont témoins d'un spectacle chargé d'émotion, riche de surprises et de moments inoubliables témoignant de la complicité entre les artistes qui participent à ce «happening», dont tous les profits sont versés au Refuge des jeunes de Montréal qui s'occupe des jeunes sans-abri de 17 à 24 ans.

8.15A Answers

1 première **2** consacrée **3** enregistrée **4** chargé **5** inoubliables **6** tous **7** versés **8** jeunes

8.15B Transcript

Télé-Québec En direct du Centre des congrès, la remise des plus hautes distinctions accordées par le Gouvernement du Québec dans les domaines culturels et scientifiques. *Le gala des Prix du Québec*, animé par Sylvie Legault, s'articule autour du thème de la création, et plus particulièrement des lieux de création. Il est ponctué de numéros de variétés mettant en vedette Alexandre Da Costa, violoniste classique, Patrice Painchaud, violoneux, Luc Lemire, saxophoniste, Nancy Dumais, interprète, Claude Léveillée, chanteur-compositeur, Patrick Normand, chanteur, Marie Jean, humoriste, et le groupe Zarzuela.

8.15B Answers

- lieu du spectacle: le Centre des congrès
- de la part de qui? le gouvernement du Québec
- nom du spectacle: le gala des Prix du Québec
- Sylvie Legault est: l'animatrice
- Alexandre Da Costa est: violoniste classique
- Patrice Painchaud est: violoneux
- Luc Lemire est: saxophoniste
- Nancy Dumais est: interprète
- Claude Léveillée est: chanteur-compositeur
- Patrick Normand est: chanteur
- Marie Jean est: humoriste

8.16 *Musique à Montréal*

8.16A Answers

Personal response.

8.16B Answers

1 vedettes **2** mission **3** tables tournantes **4** amazones **5** vinyle **6** s'imposer **7** duré longtemps **8** branché **9** accroche **10** endiablée **11** de la batterie

8.16C Answers

Suggested answer.

||With scarcely four years' experience, || Misstress Barbara has managed || to get herself accepted || as a DJ.|| "At the beginning || it wasn't easy || because I'm a (young) woman.|| They wouldn't take me || seriously.|| That didn't last long."||
The promoters soon understood || that this titch || had talent.|| Today, she's at all the local raves || and she can be found Saturdays || in the very switched-on *High Bar*.|| She has only just || signed a record(ing) contract || with one of the big British labels.|| Her first record should || (be) appear(ing) || next Spring.||

(Allow any reasonable version. 1 point for the material between each pair of bar lines, total: 22 + 3 for style = 25 points)

8.16 Coin accent Transcript (M then F)

On ne me prenait pas au sérieux.
Ça n'a pas duré longtemps.
C'est mon karma ... et je travaille beaucoup.
J'ai fait de la batterie pendant sept ans.

Je suis très sensible au rythme.
Je suis hyperactif(-ve), c'est normal pour un(e) sagittaire.

8.17 *Perspective québécoise sur une petite île* (✓)

8.17A Transcript

Première partie

Rod Alors, tu m'as dit tout à l'heure que le froid du Québec ne te manque pas du tout. Est-ce que ça, c'est bien vrai?

Nicholas Tout à fait! Tout à fait! Pour moi, les moins vingt degrés, le blizzard, la neige, la glace, sortir le matin et puis être obligé de s'emmitoufler dans des vêtements, dans des foulards ... d'avoir à se mettre des gants et tout ça, et pour moi c'est ... si c'était sur une courte période ... je pourrais m'y faire, mais ça peut s'étendre sur trois, quatre mois où on peut avoir toujours ces espèces de ... de périodes très, très froides, et, puis, ça ... ça ne me manque pas du tout.

Rod Oui, bien sûr, mais tu m'as dit pendant la même conversation que tu retourneras un jour là-bas. Alors, quels sont les attraits du Québec qui t'appelleront?

Nicholas Ce qui me rappellerait au Québec, ce sont ... la possibilité plus ... toutes les possibilités qui sont offertes ... c'est à dire les grands espaces ... la diversité du ... c'est très géographique, mais la, la, la diversité du relief, on peut faire la montagne, on peut se retrouver en ... sur les lacs.

Y'a aussi les gens, la simplicité des gens, c'est pas péjoratif, mais le fait que les gens sont très chaleureux, ne sont pas ... sont très simples, d'accès facile, d'accès, on peut parler facilement aux gens. C'est quelque chose que je retrouve moins, un peu ici.

Rod Oui, mais est-ce que ça, c'est peut-être parce que c'est Londres et la capitale doit nécessairement être assez sophistiquée?

Nicholas Oui, c'est possible que ce soit le fait que je vis dans une très grande ville, où les gens sont très pressés ... Quand j'ai habité dans le Nord de l'Angleterre dans une assez grande ville aussi ... Leeds ... c'est un peu la même chose par contre que j'ai retrouvée. Il faut vraiment sortir dans la campagne anglaise pour retrouver des gens qui sont extrêmement chaleureux, extrêmement gentils.

Rod Dis-moi, pour quelle raison est-ce que tu as passé un peu de temps à Leeds?

Nicholas Moi, j'ai fait une partie de mon ... mon baccalauréat ce qui équivaut en Angleterre au B.A., la première ... la première partie de l'université, j'ai fait un an en Angleterre ... parce que j'avais ... j'avais envie de connaître quelque chose d'autre, de voir ... un pays, un autre pays, une différente culture, une langue. Donc, j'ai étudié un an en communication là-bas.

Rod Et pourquoi est-ce que tu as choisi, disons, l'Angleterre plutôt que, par exemple, les USA?

Nicholas Parce que je me retrouvais pas aux Etats-Unis. J'avais ... c'est pas ... un pays qui m'attire. C'est pas un pays du tout ... où je ... j'ai envie de passer une longue période, tandis que l'Angleterre, c'est drôle, mais c'était vraiment pour moi l'inconnu. Je n'étais jamais allé avant d'aller étudier. Donc, c'était une très belle opportunité pour moi de de découvrir.

8.17A Answers

Accept any reasonable alternatives for the gap-fillers below. Do not accept any fillers of more than one word.

1 facilement **2** longtemps **3** manque **4** jour
5 beaucoup **6** géographique **7** simplicité
8 chaleureux **9** parler **10** Londres
11 grande/immense **12** temps **13** campagne
14 université **15** différent/inconnu
16 attirait

8.17B Transcript

Deuxième partie

Rod Et à part l'espace etc. et le climat, quelles sont les différences que, toi, tu remarques entre ta patrie et l'Angleterre?

Nicholas J'ai mentionné un petit peu tout à l'heure, j'ai trouvé que l'Angleterre est très attachée dans certains cas à des traditions qui sont extrêmement désuètes et que pour moi c'est assez difficile de comprendre.

Je comprends que ce sont des symboles qui ont marqué l'histoire et tout ça ... par exemple, l'immensité de la famille royale ici, je me demande pourquoi ils ont besoin d'être, d'être un si grand nombre, par exemple, ça coûte extrêmement cher.

Les traditions, aussi ... tous les costumes que les gens portent, les gens de la poste, les étudiants quand ils vont à l'école du primaire au secondaire pour marquer leur âge et dans quel niveau ils se sont rendus ils posent un costume different ... des choses comme ça ... Ce sont des différences qui me frappent, parce que chez nous c'est très, très simple. Les gens habituellement s'habillent comme ils veut ... comme ils veulent.

D'autres différences ... ce que j'ai aimé beaucoup en Angleterre et que je n'ai pas retrouvé au Québec encore ... les gens font confiance beaucoup, habituellement, je trouvais au premier abord ... les gens te donnent leur confiance et si tu les déçois, bon, ben c'est fini après. Mais, je trouve que ça facilite quand tu veux essayer d'établir une relation avec les gens, cette espèce de confiance-là, ça me mettait moi-même en confiance au départ.

8.17B Answers
Accept any reasonable formulations.
1 attaché(e)(s) aux traditions désuètes
2 l'immensité de la famille royale
3 le coût de cette famille
4 tous les costumes/uniformes portés par
5 les gens de la poste
6 les écoliers
7 les Québécois s'habillent comme ils veulent
8 les gens en Angleterre font confiance au premier abord
9 si tu les déçois, c'est fini
10 cette facilité le mettait en confiance
(total: 10 points)

8.17C Answers
Personal response.

8.18 *Travail de synthèse*
Personal response.

8.19 *Introduction aux Antilles françaises* (✓)
Answers
1 d'îlots **2** chaude **3** ancienne
4 considérera **5** dominée **6** réactivée
7 essentiel **8** menaçant **9** touristique
10 explorerons **11** merci **12** désastre
13 dévastateurs **14** français **15** intégrante
16 métropolitaine **17** tertiaire **18** s'avance
19 dominée **20** existe **21** expliquera
22 certains **23** certaines

8.19 Consolidation Answers
1 des joueuses groupées en équipes de quatre
2 des rapports un peu moins détaillés
3 des films dominés par un excès d'action
4 une contribution menaçante
5 une solution recherchée par tout le monde
6 une discussion fournissant des réponses possibles
7 une économie dominée par la peur du chômage
8 une explication implantée par le gouvernement

8.20 *La Guadeloupe des Guadeloupéens*
8.20A Answers
1D **2**A **3**E **4**C **5**F **6**B

8.20B Answers
1 Mon grand-père ... a épousé sa servante de couleur.
2 Certains békés acceptent maintenant que leurs filles épousent des métropolitains.
3 Le très vieux maître ... est le dernier béké à croire dans la canne à sucre.
4 J'adore le contraste entre les deux îles.
5 Le bois demeure synonyme de cases d'esclaves.
6 J'ai toujours rêvé de m'installer ici, sur le lieu où ils se sont aimés.
7 La dernière éruption ... qui a entraîné l'évacuation de toute la région.

8.21 *La mémoire des esclaves* (✓)
8.21A Answers
1 quittent les rivages
2 bosselures de la topographie
3 sentes erratiques **4** archives écrites
5 tôt exterminées **6** gardent mémoire des
7 tenter d'arc-bouter
8 s'abandonne à la trajectoire **9** regorgent de
10 l'épiderme du pays

8.21B Answers
1c **2**a **3**b **4**a **5**c **6**b **7**c **8**b

8.21 Consolidation Answers
s'est abandonné, regorgeaient, était, traversait, j'ai su, je suis reparti(e), était, n'allait pas/n'est pas allé, est allé, a senti, a respiré, a deviné, s'est ému, s'est agrandi, est entré/entrait

8.22 *L'esclavage aboli* (❊)
8.22A Answers
1 Schoelcher en rues, statues, monuments, lycée, bibliothèques
2 d'une mémoire ... non sans raison, plus grande que Joséphine
3 Epoux d'une fille de planteur, Bonaparte
4 Bonaparte l'a rétabli (= l'esclavage)
5 La première république noire du monde, Haïti
la roue s'est mise à tourner
6 malgré le Code Noir, censé protéger les esclaves
7 Dix-neuf ans d'un travail de missionnaire acharné
8 se lancent dans une existence qui leur appartient en propre

8.22B Answers
Suggested answer.
Nineteen years of ferociously determined missionary work bring him (up) to July 1848,

when the government of the young Republic, led by Lamartine, whom he has convinced/converted to his point of view, signs its very first decree: slavery is to be entirely abolished throughout all French colonies and possessions. Seventy-two thousand beasts of burden (are to) become (wholly and) entirely French overnight. Free and determined to take the opportunity, they escape/flee into the countryside and start (building) a life of their own.

(Allow any reasonable alternatives for any of the above.)

8.22 Consolidation Answers
1 n'honora, se l'annexa, fit, abolit, le rétablit, se révoltèrent, gagnèrent, fut proclamée, se mit, écrivit, put, s'arrêta, arriva, vit, révolta, menèrent, convainquit, signa, fut aboli, devinrent, s'échappèrent, se lancèrent, appartint, continua, annonça, honorèrent
2 (reading across) un monument, un lycée, une bibliothèque, un village, une vénération, une mémoire, une raison, un esclavage, un époux, un planteur, une république, un monde, un gouverneur, un ministre, un code, un gouvernement, un décret, une colonie, un coup, une existence

8.23 *La Réunion vue par Sabine* (✓)

8.23A Transcript
Première partie

Rod Ce que je trouve aussi très intéressant quand je t'entends parler, c'est que tu parles plus ou moins le même français que les Français métropolitains. Tu as un accent un peu different, mais clairement c'est le même français, hein?

Sabine Oui, c'est exactement le même français, ce qu'on apprend. Bien sûr, on a euh ... nos propres mots comme chaque région, je crois de France mais c'est le même français, c'est la même base. Euh ... on a notre créole qui est un mélange de toutes, bien sûr, de toutes les langues de toutes les ethnies à la Réunion. Mais vers l'âge de deux ans–trois ans, quand on commence juste à aller à l'école, dans la maternelle, on commence à apprendre le français. Donc ça devient notre deuxième langue et ... et on est amenés à la parler normalement parfaitement pour les études, pour tout après, et pour communiquer aussi.

Rod Et on parle créole aussi.

Sabine Et on parle créole aussi. Ça, c'est disons une langue plutôt familiale, je dirais. Ça reste dans la famille, euh ... c'est entre les amis. Mais si on va par exemple dans une administration pour des renseignements, même si la personne en face est créole, on va pas s'adresser à cette personne en créole, on va s'adresser en français.

Rod Mais oui, bien sûr. Oui, d'accord. Mais pour aller à l'université, à la faculté, des choses comme ça, est ce qu'il y a une université sur l'île ou non?

Sabine Oui, il y a une très très grande université qui se développe de plus en plus parce que la demande devient de plus en plus importante. Et ... il y a ... bon c'est surtout situé à Saint-Denis, c'est ce qu'on appelle en quelque sorte chez nous, la capitale. Et ... mais le problème c'est qu'on peut commencer des études, mais pas les finir. Il faut aller absolument en métropole pour les finir. Donc on a la base vraiment, euh ... les deux ... les deux premières années: le DEUG*. On peut préparer des DEUG dans toutes les langues qu'on voudrait, euh ... bon, dans les sciences aussi, en médecine, en tout. Mais après, il faut absolument quitter l'île.

Rod Le DEUG, je n'ai jamais compris cette abréviation. Ça veut dire quoi exactement, le mot DEUG?

Sabine Le mot DEUG? Euh ... diplôme hein, un diplôme universitaire général.

Rod Oui, oui, très bien. Merci beaucoup. Et alors toi, tu as passé cinq ans à étudier en France, n'est-ce pas?

Sabine Oui, euh ... disons quatre ans en tout vraiment parce qu'une année, j'ai travaillé.

Rod Oui, oui.

Sabine Mais j'ai fait trois ans à l'université de Toulouse, l'université Le Mirail en espagnol. Et ... et après, euh, avoir eu la licence, j'ai décidé d'aller à Paris pour préparer un autre diplôme, euh ... c'est pour l'enseignement.

Rod Oui, bien sûr.

Sabine Mais entre-temps, euh ... j'avais décidé de faire une pause et décidé de travailler. J'ai travaillé dans un Ministère français, euh ... le Ministère des DOM-TOM** et des Affaires Etrangères pendant un an.

Rod C'est très intéressant.

*DEUG: diplôme d'études universitaires générales
**DOM-TOM: départements et territoires d'outre-mer

8.23A Answers
Suggested answer.

le créole
- un mélange de toutes les langues à la Réunion
- une langue familiale
- reste dans la famille
- entre les amis

l'administration
- pour des renseignements on utilise le français, même si la personne à qui on s'adresse est créole

l'université
- située à Saint-Denis, la capitale
- très grande
- se développe
- on peut commencer les études, mais il faut aller en métropole pour les finir

le DEUG
- = diplôme universitaire général
- les deux premières années
- dans toutes les langues, dans les sciences, en médecine, en tout
- après, il faut quitter l'île

8.23B Transcript
Deuxième partie
Rod Sabine, tu as parlé un tout petit peu, tout à l'heure, disons, de la disproportion entre le SMIC en France métropolitaine et en l'ile de la Réunion. Est-ce que le chômage est un vrai problème pour vous?
Sabine Un vrai! Un très, très grand problème. C'est le ... je dirais le ... le problème majeur parce que le chômage est à plus de 40% dans l'île. Et le problème, c'est que euh ... au niveau de l'enseignement, au niveau administratif, on peut avoir un travail, euh ... mais dans les autres secteurs, il n'y en a pas parce qu'il n'y a pas d'entreprises, euh, bon! Il y en a quelques ... quelques-unes mais pas beaucoup. Il n'y a pas de ... d'usines, donc, ça fait que la majorité des jeunes, en général, ce qu'ils font, c'est que quand ils quittent l'école, ils ont rien. Donc, ils restent chez eux, ils vivent avec leur famille, ils essaient de se débrouiller, d'avoir des petits boulots par-ci, par là pour avoir un peu de sous. Euh ... mais en général, c'est toujours ... bon, des fois, on trouve des familles qui vivent, euh ... bon, il y a les parents, les enfants, même si les enfants sont mariés, ils vivent toujours dans la même maison des parents.
Rod Est-ce que le gouvernement central fait des efforts pour améliorer la situation?
Sabine Bon! Ils disent qu'ils font des efforts, mais les efforts sont pas évidents, quoi! Parce que ce qu'ils Font, c'est que ... bon, le gouvernement a mis en place depuis le président Mitterrand, ils ont mis en place le R.M.I. et c'est ...
Rod Ça, c'est quoi exactement?
Sabine Le R.M.I., c'est le revenu minimum d'inser ... d'insertion et donc, euh ... les gens vivent ... c'est environ 2 000 francs par mois, et la majorité des gens vivent avec ça ...

8.23B Answers
le chômage (2)
- le problème majeur
- à plus de 40%

les secteurs de travail (3)
- au niveau de l'enseignement, au niveau administratif, on peut avoir un travail
- dans les autres secteurs, il n'y en a pas

les entreprises (3)
- il n'y a pas d'entreprises
- il y en a quelques-unes mais pas beaucoup
- il n'y a pas d'usines

les jeunes (5)
- quand ils quittent l'école, ils n'ont rien
- restent chez eux
- vivent avec leur famille
- essaient de se débrouiller/avoir des petits boulots pour avoir un peu de sous

les familles (2)
- même si les enfants sont mariés, ils vivent dans la même maison des parents

le RMI (3)
- le revenu minimum d'insertion
- environ 2 000 francs par mois
- la majorité des gens vivent avec ça

Mark for comprehension.
Allow errors in the French, provided the communication is not impeded.

(total: 18 points, 14 points and more represents a good score)

8.24 *Quiz-Trois-Iles: Le jeu des vingt questions* (✓)

8.24 Transcript
Présentatrice Rebonsoir à tous nos auditeurs et à toutes nos auditrices! On dit très souvent que nous, les Français métropolitains, nous avons des connaissances terriblement fautives de nos DOM. Ce soir alors, nous allons mettre en vedette les trois îles qui sont aussi des DOM, la Guadeloupe, la Martinique et la Réunion. Il y a comme toujours vingt questions. Vous? Vous n'avez qu'à nous transmettre par écrit, par l'intermédiaire de la poste, d'un fax ou d'un mail, vos réponses aux vingt questions. Et comme toujours, un sac pour chaque méthode. Le premier papier totalement correct tiré de chaque sac gagne le prix. Un prix pour les lettres postées, un prix pour les fax et un prix pour les mails. Les trois prix sont de même valeur ... un chèque de 2000 francs comme contribution à vos frais de vacances sur une de ces trois îles paradisiaques! Vous êtes prêts? Vous avez vos bics, vos crayons, vos stylos? Rappelez-vous, vous n'entendrez chaque question qu'une seule fois. Allons-y!
Présentateur Première question, quelque chose de facile pour commencer ... laquelle des trois îles se situe dans l'océan Indien?

Présentatrice 2 Comment s'appelle la grande île à 200km à peu près au nord-est de la Réunion?
Présentateur 3 Quelle île est dominée par le volcan Montagne Pelée?
Présentatrice 4 Quel était le premier Européen à découvrir la Guadeloupe?
Présentateur 5 Et en quelle année? Tenez, question difficile!
Présentatrice 6 La Guadeloupe se trouve à combien d'heures de vol de New York?
Présentateur 7, 8, 9 Nommez les capitales des trois îles! Ça, c'est pas dur!
Présentatrice 10 Nommez la ville détruite par Montagne Pelée!
Présentateur 11 Nommez le Français qui a libéré les Noirs français de l'esclavage.
Présentatrice 12 Il était originaire de quelle région de France?
Présentateur 13 Les *traces* en Martinique sont (a) des monuments, (b) d'anciens petits chemins, (c) des ruines historiques.
Présentatrice 14 Les îles suivantes sont administrées par quelle autre île antillaise: Saint-Martin, Saint-Barthélemy, la Désirade?
Présentateur 15 Quelle femme célèbre est née à la Martinique?
Présentatrice 16 Les *békés* sont (a) des Noirs, (b) des Métis, (c) des Blancs.
Présentateur 17 L'île britannique de Montserrat, qu'est-ce qu'elle a en commun avec les deux îles antillaises?
Présentatrice 18 Qui a été responsable du rétablissement de l'esclavage après la Révolution française?
Présentateur 19 Comment s'appelle l'île partenaire de Grande-Terre?
Présentatrice 20 L'écrivain Patrick Chamoiseau est natif de quelle île?

Voilà, c'est la fin de notre quiz! Vous avez toutes les bonnes réponses? Bravo! Et bonne chance pour le tirage!

8.24 Answers

1 la réunion **2** l'île Maurice **3** la Martinique
4 Christophe Colomb **5** 1493 **6** 3h
7 Guadeloupe: Pointe-à-Pitre
8 Martinique: Fort-de-France
9 Réunion: Saint-Denis **10** Saint-Pierre
11 Schoelcher **12** l'Alsace **13** (b)
14 la Guadeloupe
15 l'impératrice Joséphine
16 (c) **17** son volcan dangereux
18 Napoléon Bonaparte **19** Basse-Terre
20 la Martinique

8.25 *La France vit de la mondialisation*

8.25 Transcript

Interviewer D'un bout à l'autre de la planète, on boit du Coca, on mange au Macdo. La mondialisation va-t-elle uniformiser l'humanité, faire de nous des clones?
Jean-François Bayart Nous consommons les mêmes produits, mais pas de la même façon. Acheter une Mercedes n'a pas la même signification pour un Allemand et pour un Nigérian. Le second fera bénir la voiture par un imam (un dignitaire musulman). La voiture aura dans son pays un prestige plus grand qu'en Allemagne. Elle transportera plus de voyageurs, elle aura une histoire plus chaotique à cause de l'état des routes africaines ... La mondialisation, c'est aussi la réinvention des différences d'un pays à l'autre, même à travers de simples biens de consommation.
Interviewer La mondialisation n'est-elle pas dirigée par les Etats-Unis?
Jean-François Bayart Il n'y a pas un foyer de mondialisation, mais plusieurs. Les Etats-Unis en font partie, l'Europe aussi. Le café espresso italien ou la baguette française se sont étendus un peu partout. L'Asie orientale est devenue un grand consommateur de cognac mais, ici encore, à sa manière. En France, le cognac est bu après le repas. En Chine, la bouteille est vidée en mangeant. Sur un autre registre, un pays comme la Malaisie est un foyer de mondialisation. Dans la mesure où il combine réussite économique et culture musulmane, le modèle malaisien est observé avec intérêt en Iran, par exemple. La mondialisation n'est pas un flux cohérent. Il y a des mondialisations de tout type: économique, financière, technique, religieuse ...
Interviewer Aujourd'hui, les sociétés sont presque toutes organisées selon les règles du marché. Ne vont-elles pas finir par se ressembler?
Jean-François Bayart Le marché et le capitalisme ne fonctionnent pas partout de façon identique. Même entre pays occidentaux, il y a des différences. En France, un responsable d'entreprise qui est critiqué estime vite que son honneur est bafoué. D'où la difficulté à mettre en place des méthodes d'évaluation des cadres, par exemple. Aux Etats-Unis, c'est le principe du contrat qui domine. Il est normal pour un professeur d'université d'être noté par ses élèves. En

France, c'est inconcevable. On retrouve d'autres spécificités dans le capitalisme et l'organisation de la société en Asie. Par exemple, la diaspora chinoise a habilement utilisé les structures familiales pour faire des affaires. Il en va de même en Asie centrale ou en Afrique. Or qu'y a-t-il de plus spécifique à un pays que les relations familiales?

Interviewer Face à un monde qui bouge de plus en plus vite, la France ne risque-t-elle pas d'être tentée de se barricader à l'intérieur des frontières?

Jean-François Bayart D'abord, la France est bien armée face aux défis de la mondialisation. Elle s'est modernisée en quelques décennies et, aujourd'hui, c'est l'un des plus grands exportateurs de la planète. Elle vit donc de la mondialisation. Et puis, le monde a toujours bougé. Nous n'avons pas à choisir entre, d'une part, la perte de notre âme dans la mondialisation et, d'autre part, le repli sur une identité française qui serait éternelle. La culture d'un pays n'est pas fixe. Elle se transforme sans cesse en «réinventant» à sa façon des apports étrangers.

8.25A Answers

1 uniformiser **2** consommons **3** acheter
4 fera bénir **5** aura **6** transportera **7** aura
8 font **9** se sont étendus **10** est devenue
11 est bu **12** est vidée **13** combine **14** vont
15 finir **16** fonctionnent **17** estime
18 mettre **19** domine **20** retrouve
21 a ... utilisé **22** va **23** bouge **24** risque
25 se barricader **26** s'est modernisée **27** vit
28 a ... bougé **29** choisir **30** serait
31 se transforme

8.25B Answers

Accept any reasonable versions.

1 from one end of the planet to the other
2 because of the state of African roads
3 through/by way of ordinary/simple consumer goods
4 there isn't just one global focus
5 in its own way
6 on another level
7 according to market rules
8 What is more specific about a country?
9 faced with the challenges of
10 falling back on a French identity

8.25C Answers

Personal response.

8.25 Consolidation Answers

1 **a** un prestige plus grand
b plus de voyageurs
c une histoire plus chaotique
d qu'y a-t-il de plus spécifique que ... ?
e de plus en plus vite
f (l')un des plus grands exportateurs

2 **a** un prestige moins grand
b moins de voyageurs
c une histoire moins chaotique
d qu'y a-t-il de moins spécifique que ... ?
e de moins en moins vite
f (l')un des moins grands exportateurs

3 **a** des biens de consommation moins simples
b (l')un des plus grands consommateurs
c une réussite aussi étonnante
d une culture plus profondément musulmane
e le modèle le plus rigide
f les structures les plus familiales
g le flux le moins cohérent

8.25D Answers

Personal response.

Interpreting English documents

Les jeunes et la santé

1 Lisez les deux articles, *Teenagers claim sport is 'uncool'* et *Britain is worst for cannabis*, et donnez, en français, les renseignements demandés.

a Combien d'enfants britanniques consacrent plus d'une heure par semaine au sport?

b Identifiez deux changements qui pourraient améliorer le niveau de participation sportive des jeunes.

c Commentez les statistiques sur la drogue parmi les écoliers *britanniques*.

d Résumez les renseignements comparatifs sur la drogue dans différents pays européens.

e Qu'est-ce qu'on dit sur les jeunes et la drogue en Amérique?

2 Ecrivez un maximum de 80 mots en français sur vos propres réactions aux renseignements donnés et aux points de vue exprimés dans les articles.

Teenagers claim sport is 'uncool'

SPORTING activity is on the wane among older teenagers because they think it 'uncool', according to research released yesterday.

Pupils surveyed for Adidas UK cited regulation PE kits as being a key factor in deterring them from taking part in sports.

The research was commissioned after surveys showed that one in ten children spent less than an hour a week playing sport. Teachers who took part in the research said a relaxation of sports kit rules and single sex PE classes could combat the decline in popularity.

Britain is worst for cannabis

MORE than a third of teenage schoolchildren have smoked cannabis, according to a new report.

The European Union's drugs monitoring agency survey found that 40 per cent of 15 and 16-year-olds in England and Wales had tried the drug at least once.

Researchers also found that one in five schoolchildren in England and Wales had tried solvent abuse such as glue sniffing while one in 50 had experimented with heroin.

According to their report this was the highest rate of teenage cannabis, solvent and heroin abuse in the EU.

But the agency's report, on drug usage and responses by the authorities, said cannabis use among the young in England and Wales 'had stabilised or even decreased' whereas it was still on the rise in parts of Europe where drug abuse used to be rare.

Across the whole population more people were found to have used cannabis in England and Wales in the last 12 months than in any other country.

About 9 per cent of the adult population took it, compared to 1 per cent in Sweden.

The agency's report estimates that 40 million of the EU's 375 million population have tried cannabis, while as many as 5 million 'could have tried heroin'.

Meanwhile a survey in the USA indicated that drug-taking among American teenagers was levelling off.

According to a poll by the Partnership for a Drug-Free America, 40 per cent of US teenagers believe it was 'really cool' not to use drugs.

La publicité et le matérialisme

1 Lisez l'article *Adverts 'creating a Material Girl society'* et donnez, en français, les renseignements demandés.
 a Selon le journaliste, qu'est-ce que les parents doivent faire?
 b Selon Rosanne Musgrave, quelle est la cause de ce problème?
 c Quelles sont les méthodes utilisées par les publicitaires pour attirer les enfants?
 d Résumez les résultats de l'enquête par l'université d'Oxford.

2 Ecrivez un maximum de 80 mots en français sur vos propres réactions aux renseignements donnés et aux points de vue exprimés dans l'article.

Adverts 'creating a Material Girl society'

PARENTS should do more to protect young children from the relentless pressures of marketing, an independent school headmistress said yesterday.

Rosanne Musgrave, president of the Girls' Schools Association, said intensive TV advertising was creating a generation of 'material girls and boys'.

'I recently watched an assembly on the topic of jealousy, and in every case it involved material possessions,' she said.

'Madonna's Material Girls are getting younger all the time. What will be the values that little girls have in years to come? And whose values will they be?'

She told an annual conference of headteachers that she blamed commercials and the emphasis placed by programmes on new fashions for creating peer pressure among the young to own the latest toys and clothes.

Advertisers were becoming aware that children exerted a big influence over the way parents spent their money.

She said: 'Infants and juniors are increasingly subject to marketing and have become the focus of the advertising slogan writer.'

Advertisers of toys such as Beanie Babies, Furbies and Tellytubbies knew in what time slots their advertising would be most effective, she said, adding: 'If you haven't ever watched weekend morning television, just try it sometime.'

However, she acknowledged it was difficult for parents to resist advertising hype for the latest children's toys and clothes.

'Many work very hard to provide for their children and are then blamed for encouraging materialistic acquisitiveness in the young,' Miss Musgrave, the head of Blackheath High School in London, told the conference.

She added teachers should encourage parents to instil into youngsters values other than those connected with material possessions. 'We must persuade them to work with us, to support us in teaching youngsters to tell the truth, to adopt values that go beyond material affluence,' she added.

It was an 'impossible dream', Miss Musgrave said, to imagine that TV would place less emphasis on the latest toys and fashion items.

Madonna: The original Material Girl

But, she said: 'We really do need to ensure that girls and boys as well have opportunities to develop ways of thinking based on moral and personal and spiritual development experiences that are more than just keeping up with the Jonesettes.'

Listening makes the best present

PARENTS dreading the impact of their children's Christmas present list on their bank accounts can breathe a sigh of relief.

A study, released yesterday, claimed the best way to make children feel needed is to listen to them, rather than buy them gifts.

The study by Oxford University surveyed 1,400 young men aged 13 to 19 and found they wanted their parents to be more supportive rather than spend money on gifts for them. A spokesman for young people's organisation Young Voice said the report was 'very positive' for parents. He added: 'It showed it doesn't matter who you are or what the family structure is, it is the way you parent that matters more than anything.'

Elodie Bouchez – star du cinéma

1 Lisez l'article *Angel eyes* et donnez, en français, les renseignements demandés.
  a Les prix qu'Elodie a gagnés.
  b Qui est le metteur en scène du film *La Vie rêvée des anges*, et qu'est-ce que ce film raconte?
  c Pourquoi est-ce qu'Elodie voulait jouer le rôle d'Isa?
  d Selon l'article, qu'est-ce qui fait l'individualité d'Elodie, en tant qu'actrice française?

2 Ecrivez un maximum de 80 mots en français sur vos propres réactions aux renseignements donnés et aux points de vue exprimés dans l'article.

Angel eyes, scrubbed face, itchy armpit

Elodie Bouchez: more than a French sex kitten. *By Richard Mowe*

SHE LOOKS like a waif who has strayed too far from home, then turns street savvy and old-lady wise. Elodie Bouchez, best known in Britain for her giggly, loose-limbed performance in Yolande Zauberman's *Clubbed to Death*, may be only 25, but her strength and determination are evident.

In three years she has soared from being "most promising newcomer" in the Césars, the French Oscars, to a shared Best Actress award at this year's Cannes Film Festival, where her wisp of a diaphanous red dress outshone the competition who included glad-ragged Sigourney Weaver and Winona Ryder. Not bad going for a someone who lives modestly in a tiny flat in Pigalle.

She shared her Cannes victory with her co-star, newcomer Natacha Régnier, for the first film by Erick Zonca, *The Dream Life of Angels* which depicts the changing bonds of friendship between two working-class women in the north of France.

It's a long way from what some see as a traditional French preoccupation with affairs of the heart, usually glossily shot on the banks of the Seine. But Bouchez has never gone for "gloss". She gave up university to appear in the late and legendary Serge Gainsbourg's last film. Partly because of the title and subject matter, she gained a certain unjustified notoriety: *Stan the Flasher* dealt with an English teacher who exposed himself to young girls.

"Some people thought it was going to be pornographic, but it wasn't in the least bit salacious," says Bouchez. "And Gainsbourg was very sweet, calm and quite normal. I was just 16 and I couldn't believe I was working with this *monstre sacré*".

Since then she has garnered a reputation as a fearless practitioner, especially in the steamy, adolescent turmoil of André Techiné's coming-of-age tale *Wild Reeds*. It was in this film that she caught Erick Zonca's eye and the two eventually met at a festival, at which Bouchez presented him with an award. "When he came up on stage he said: 'Elodie doesn't know it yet, but I've written my first feature for her.' He met me afterwards and said he had the cover of an edition of *Cahiers du Cinema* on his computer, the one from *Wild Reeds* with me in a swimsuit. I thought: 'strange' ... He never mentioned it again until the day he offered me the part."

Directors, she claims, rarely place enough confidence in their actors. She won Zonca over by investing humour in her character, Isa, which wasn't there on the printed page.

"She was too passive, and seemed to lack energy. I had already played that kind of role, and I didn't think I could bring anything new. Then he rewrote it and sent me other drafts and they got better. I had seen his short movies which were really good, and so I decided to trust him. Isa wasn't conscious at all of her femininity; if she wanted to scratch under her arms, she would have a good scratch.

"By giving her that kind of freedom I began to understand her. The girl I play never looks at herself in the film. So for weeks, throughout the shoot, I didn't look at myself a single time."

Bouchez, whose gamine appearance has been compared to the young Leslie Caron's, still seems unconcerned about her looks. Her luminous eyes are devoid of make-up, her face scrubbed and tanned from a holiday in LA. When asked to cite an acting influence she avoids such Gallic icons as Jeanne Moreau, Catherine Deneuve or Juliet Binoche, preferring to name Gena Rowlands and Jennifer Jason Leigh.

She intends to spend the rest of the year travelling round the festivals circuit. She says she needs time to come to terms with her Cannes accolade. "It's like a new beginning and you have to prove yourself to everybody all over again, and convince them that you can live up to the award. I needed to feel scared and have a rush of adrenaline – and maybe a kick on the shins to shake me up."

Une carrière en politique

1 Lisez l'article *From Rebel to Representative* et donnez, en français, les renseignements suivants.
  a Pourquoi Daniel Cohn-Bendit est-il une personnalité très connue depuis longtemps?
  b Pourquoi est-ce que le journaliste croit que Daniel est «the first truly European politician»?
  c Résumez la carrière de Daniel en 40 mots environ.
  d Pourquoi est-ce qu'on le dit «dangerous»?
2 Ecrivez un maximum de 80 mots en français sur vos propres réactions aux renseignements donnés et aux points de vue exprimés dans l'article.

From Rebel to Representative

IT IS PERHAPS THE BEST-KNOWN PHOTO OF THE MAY 1968 Paris student uprising: a red-haired, freckle-faced youth grinning insolently at a helmeted French riot policeman. At 53, Daniel Cohn-Bendit is no longer an anarchist revolutionary, but he has lost none of the in-your-face panache that made him the best-known leader of '68—and, today, the most charismatic, and aggravating, personality in the European political arena.

He may be the world's first truly European politician. "Because of my life history," says Cohn-Bendit, "I am neither German nor French but European." The son of German Jewish parents who had fled Nazi Germany, Cohn-Bendit, born in France in 1945, opted for German nationality in order to escape the French draft. Attending a French university in 1968, he emerged as a leader of the legendary spring uprising and was soon expelled as an undesirable alien. After dabbling in various counterculture movements, he joined the German Greens and won election as a deputy mayor of Frankfurt in 1989, overseeing immigration and drug-related issues. Elected to the European Parliament in 1994, Cohn-Bendit became one of the most visible and outspoken Euro-deputies, distributing tracts, making speeches, running his own literary talk show on Swiss TV and writing regular columns for German newspapers.

He did not hesitate when the French Verts recruited him to head their European ticket for the June 1999 campaign, taking advantage of a law allowing European citizens to run for the Strasbourg-based Parliament from anywhere in the E.U. "He has long wanted to come back and get involved in French politics," says his friend Noël Mamère, a Verts leader and member of the French Parliament. "He has had a wound in his heart ever since he was chased out in 1968. He sees his return as a closing of the circle."

Others see it as a threat. Iconoclastic and unpredictable, the garrulous media darling has something to bother nearly everyone—including his fellow Verts. The party's leader, Environment Minister Dominique Voynet, calls him "fascinating—and dangerous." Indeed, Cohn-Bendit's provocative calls for abandoning nuclear power, legalizing soft drugs and "regularizing" illegal immigrants have heightened her discomfiture as a member of a Socialist-dominated government that rejects such policies. "They differ on certain issues," says Voynet aide Vincent Jacques Le Seigneur, "but she has no regrets about choosing him to head the list."

Cohn-Bendit's passionate belief in European federalism enrages anti-Europeans across the political spectrum. His embrace of free-market liberalism annoys leftists weaned on the Jacobin tradition of state control. His German citizenship rankles nationalists, from conservative Charles Pasqua ("Cohn-Bendit is a true German—he returns every 30 years!") to leftist Interior Minister Jean-Pierre Chevènement, who calls him "a representative of the global élites."

With so many enemies, Cohn-Bendit must be doing something right. "Overall he has a good image with voters," says political analyst Pascal Perrinneau. "The young like his straight talk, the baby boomers see him as a nostalgic reflection of their own youth. Though older voters still fear him as a revolutionary, most people see him as a modern man who speaks his mind and does not get bogged down in sterile partisan quarrels." All of which makes Danny the Red a standout among France's staid and stodgy politicians.

—By T. S.

Daniel Cohn-Bendit

Les femmes – encore au foyer?

1 Lisez l'article *New woman still tied to kitchen sink* et donnez, en français, les renseignements suivants.
   a Dans quel sens est-ce que la vie féminine n'a guère changé, selon l'article?
   b Décrivez comment les attitudes de la société ont changé depuis 1987, en ce qui concerne les femmes au foyer?
   c Que révèle l'article sur les réussites des filles et des femmes dans le monde de l'enseignement, et dans la vie active?
   d Qu'est-ce que nous découvrons sur la maternité dans cet article?
2 Ecrivez un maximum de 80 mots en français sur vos propres réactions aux renseignements donnés et aux points de vue exprimés dans l'article.

New woman still tied to kitchen sink

By Glenda Cooper Social Affairs Correspondent

MODERN WOMAN may be better educated, have a better job and earn more money than her grandmother ever dreamt of, but in one way her life remains the same—eight out of ten women still do the household chores.

Only 1 per cent of men say they do the washing and ironing or decide what to have for dinner. The only area where average man is more likely to help out is with small repairs around the house.

The report *Social Focus on Women and Men*, by the Office for National Statistics, found that attitudes to women working have changed drastically over the past decade. Whereas in 1987 more than half of men and 40 per cent of women agreed with the statement, "A husband's job is to earn the money; a wife's job is to look after the home and family", that view had halved among both sexes by 1994.

The numbers agreeing strongly with the statement, "A job is all right but what most women really want is a home and children", had also halved from 15 per cent to 7 per cent of men feeling that way and 12 per cent to 5 per cent of women.

Women's increased participation in the world of work has been one of the most striking features of recent decades. Nearly half of all women aged 55 to 59 have no qualifications. But their granddaughters are outperforming their male peers across the board, and from 1989 overtook boys at A-levels.

Gender stereotypes persist at this level of education, however, with more than three-fifths of English entrants being female, while a similar proportion of maths entrants are male. A greater number of boys take physics and chemistry whereas girls predominate in social sciences and history.

The explosion in higher education means there was a 66 per cent increase in the number of female undergraduates and a 50 per cent increase in the number of male undergraduates between 1990–91 and 1995–96.

Women are also making breakthroughs in specific areas of employment. Women now form a slight majority among new solicitors although they make up only one-third of all solicitors. Since 1984 the number of women in work has risen by 20 per cent to 10.5 million.

But when it comes to pay, they still lag behind their male peers. Women earn on average 80 per cent of what men do per hour. They are also far more likely to work part-time or with temporary contracts.

Part of the reason for this is because women still take the main role in childcare, although they are more likely to work than in the past. The number of mothers with children under five doubled between 1973 and 1996. And the number of women who return to work within nine to eleven months of the birth increased dramatically. In 1974, only 24 per cent of women returned to work in this period compared with 67 per cent in 1996.

The relationship between the sexes has also seen changes. Seven in ten first marriages are now preceded by co-habitation compared with only one in twenty first marriages in the mid-1960s. Since 1992 women in their early thirties have been more likely to give birth than those in their early twenties, although the fertility rate is still highest among those aged 25 to 29.

La société multiculturelle – ou raciste?

1 Lisez l'article *There is no racism in Britain. Discuss* et donnez, en français, les renseignements suivants.
  a Qu'est-ce que la journaliste veut dire par «There are no racists in Britain»?
  b Pourquoi est-ce qu'elle n'aime pas la phrase «institutional racism»?
  c Qu'est-ce qu'elle dit sur le thème du racisme dans la police?
  d La journaliste mentionne aussi deux points positifs. Lesquels?

2 Ecrivez un maximum de 80 mots en français sur vos propres réactions aux renseignements donnés et aux points de vue exprimés dans l'article.

There is no racism in Britain. Discuss

YASMIN ALIBHAI-BROWN

AS FAR as I can ascertain, there are no racists in Britain. I have been writing on race for 12 years and I have never met anyone who believes that he or she is a racist. I have had a colleague confess to me: "I am not a racist but I wouldn't want my children to go to a school with too many Asians." I have sat for hours clutching myself with fear as BNP supporters who had swastikas drawn on the arms of their babies explained they were not racists, only nationalists.

We Black Britons are also constantly reminded how this country is not nasty Germany or violent, racist America. Only this week, ex-headmaster Ray Honeyford, who seems to be from another planet (if only) reminded us on *Heart of the Matter*, that it is those naughty "race industry" people who create racism by talking about it. White Britons can carry out racist acts and discriminate against black and Asian Britons more easily than they can ever accept a description of what they are doing. So powerful are the denial mechanisms that those carrying out surveys on racial attitudes often ask interviewees about other people's prejudices rather than their own in order to gauge what is happening.

The term "institutional racism" has created more confusion than clarity.

Institutions have no free will. They are managed by people, mostly white people. And in far too many key organisations these powerful white people, instead of rooting out racism because it is morally repugnant, feel duty bound not to look the beast of racism in the eye.

The Met knows how racism and sexism are soaked into the fabric of the force. In 1983, David Smith, now Professor of Criminology at Edinburgh University, wrote a report on policing in London. After observing officers for two years, he found that there was a pervading culture of racism. The writer and filmmaker Roger Graef confirmed this in his book, *Talking Blues*.

But knowing something is not to accept it. No racist policeman has ever been sacked. Instead, millions of our pounds have been wasted on useless "cultural awareness" training, out-of-court settlements and on endless campaigns to get more ethnic recruits, the latest of which was announced by the well-intentioned Home Secretary only this week. I would not join the force, as it is now, if I were paid a million pounds per annum. This culture of untackled racism is going on in many other state and private institutions too. And only a fool or a knave would now deny that racist violence and abuse seems to be blighting an increasing number of British lives.

What is so disheartening is that so many Black leaders also misrepresent the reality of racism. They devalue the term by over-using it in inappropriate situations and fail to reflect the complexity of what is going on.

I despair too when I hear (understandably) furious activists who bang on and on about endemic, all embracing racism.

It is absurd to suggest that there has been no progress or that all whites are racist or that everything which happens to black and Asian people is because of this thing called racism.

This year British broadcasters excelled themselves with the unprecedented number of moving programmes on the *Empire Windrush*. White people have reacted to the case of Stephen Lawrence with feelings of anger and shame which have not been seen since the funeral in 1959 of Kelso Cochrane, a young black man who was killed by racists in north Kensington.

At a recent public meeting in Ealing I saw hundreds of white residents weeping as Myrna Simpson described the death of her daughter Joy Gardner in front of her four-year-old son as police taped her face up so she couldn't breathe.

The way to deal with racism is to name it exactly, shame it and where necessary punish it. Nothing else will work and nothing else will do.

La mère célibataire

1 Lisez l'article *At home: The single mother* et donnez, en français, les renseignements suivants.
  a Quelle est la situation financière de Teresa?
  b Pourquoi est-ce que Teresa et son mari ont divorcé?
  c Décrivez le rapport entre Terry et son fils.
  d Comment est-ce que les sœurs de Teresa peuvent – et ne peuvent pas – l'aider?
2 Ecrivez un maximum de 80 mots en français sur vos propres réactions aux renseignements donnés et aux points de vue exprimés dans l'article.

AT HOME: THE SINGLE MOTHER

'Nathan and I never get quality time together. I'm fed up with compromising all the time'

TERESA GOODMAN is a divorced single mother living in London with her son, Nathan, who is seven. She does secretarial work as a part-time temp and finds it difficult making ends meet.

'I'm in a constant dilemma,' she says, 'whether to work part-time, be broke yet spend time with my son or work full-time and have money. Because I never know what days I'm working, we rarely have decent time together.

'Everything is frantic. I get stressed and end up shouting because my life seems disorganised and unpredictable.

'The reason why I split up from my husband was that I wanted to bring Nathan up without listening to constant arguments between his parents. But in the two years since we have been separated things have been very hard.'

Her ex-husband, Terry, is unable to participate in organised, regular child care for their son.

'Terry loves Nathan and spends all his time off with him, but because he works strange shifts it is impossible for him to predict when he is going to see him.

'He certainly doesn't take his share of the parenting. I asked him whether he was taking any time off during half-term the other day, only to discover he had forgotten all about it.'

Teresa's two sisters provide close support for her and Nathan. They are always willing to help at weekends, but it is difficult for them to provide child care during weekdays, when she needs it most.

'Nathan and I are always rushing around and we never get quality time together,' she says. 'I don't do so badly, I'm not on the breadline. But I'm fed up with compromising all the time, both at work and at home with my son.'

Les femmes et la politique

1 Lisez l'article *Casting a vote for Egalité* et donnez, en français, les renseignements suivants.
 a Résumez les statistiques données dans l'article sur la participation des femmes à la vie politique française.
 b Pourquoi est-ce que Françoise Giroud pense qu'un plus grand nombre de femmes devrait avoir un rôle politique?
 c Identifiez un développement significatif qui a eu lieu en mars 1999.
 d Expliquez la nouvelle situation décrite par Guy Carcassonne.
2 Ecrivez un maximum de 80 mots en français sur vos propres réactions aux renseignements donnés et aux points de vue exprimés dans l'article.

Casting a Vote for Egalité

To topple centuries of discrimination, France debates a plan to set electoral quotas for women

SEEKING PARITY: Demonstrators support the attempt to reduce men's political domination

INTERNATIONAL WOMEN'S DAY OFTEN draws only cursory attention in many nations—and frequently goes unnoticed altogether by most men. But in France—whose government has historically stressed *fraternité* over *égalité*—its arrival last week was poignantly timed, as citizens of both genders hotly debated measures underway to increase the number of women holding elected office.

Men dominate French government as in almost no other European Union country, with only Greece posting a worse record. Women make up only 11% of the lower house of Parliament—and that a 5% increase after the 1997 ascension of the Socialist Party, which just recently began reserving a third of its electoral spots for female candidates. Only 6% of Parliament's upper house, 8% of the nation's mayors and 7% of its departmental councillors are women. Women do occupy roughly one-third of the cabinet posts, but some observers argue that presence at the top masks the woeful absence of women elsewhere in French governance. "We've had women ministers for decades, but we've never had more than a handful of women in Parliament at any time," notes Françoise Giroud, a former Minister of Culture who was also Secretary of State for Women's Affairs in the 1970s. "It's extremely important that the number of women holding office at all levels increases. Democracy doesn't really work if more than half the population is only represented by several visible officials at the very top."

But democracy may also be undermined by proposed plans to impose gender parity in elections. In March 1999 the upper house of Parliament, with support from conservative President Jacques Chirac and Socialist Prime Minister Lionel Jospin—and with denunciations by some French feminists—approved a constitutional amendment to "favour equal access by men and women" to elected office. That change paves the way for the passage of a new law setting gender ratios for parties running candidates in elections, and outlining punishments—probably linked to funding—for parties that continue the traditional practice of retaining all but a handful of token slots for men. The details of the final law remain fuzzy, but "We'll probably see ratios starting as 70% to 30%, or 60% to 40%, with the goal of getting them to a rough split eventually," comments French constitutional law professor Guy Carcassonne. "The numbers aren't as important as the qualitative impact. Up till now, brilliant women have been stepping aside for mediocre men, simply because women knew they'd have to wage bloody battles to prevail over any male challenge under the old rules. Now, when push comes to shove, the better candidate is going to get the nod, regardless of gender."

Critics—many of them feminists—counter that women must win acceptance in politics as equals based on merit, not through quotas that emphasize gender over ability. Backers of the parity drive—including feminist philosopher Sylviane Agacinski, who is married to Jospin—say such views ignore the fact that women have been shut out of French politics based on gender alone, and that this discrimination requires corrective prescriptions like the parity law. Under it, they argue, maybe every day can become Women's Day.

—BY BRUCE CRUMLEY/PARIS

Assessment unit

We have included this unit to help:

- teachers who may wish to set a 'mock' exam along the lines of the material they and their students have worked through during the course;
- students who are preparing independently for an A Level exam in French.

To allow all students to attempt question types which are close to, if not identical with, those set by their own examining consortium, we have provided some alternative question types from which you are free to choose. The contents of the assessment unit are:

Section 1

Listening paper

Section 2

Mixed-skills papers (Reading and Writing)

Section 3

Oral module

For the Mixed-skills papers, choose the elements in Section 2 as required.

The Oral Module gives practice in interpreting and conversation activities.

Wherever necessary, we have explained in the marking notes how the marks are obtained in each question, in a way which will not happen in the official exam.

To see how the marks for a task are allocated, look at the numbers in brackets. If, for example you see '(10 points)' and there are ten questions or gaps, you can assume there is one mark for each item correctly answered. Please feel free to work through all the alternative exercises if you feel the practice would be useful but, to help you get some idea of likely outcomes in the official exam, you would be wise to use these alternative items separately. There is considerable variation in the way Boards approach the Listening Test. The biggest difference amongst them is that they may provide either individual tapes for the candidate to work through at his/her own speed, or a single tape for the whole group, to be answered in the gaps on the tape, played by the invigilator.

Use whichever of these two methods your own Board employs. To help you gain a rule-of-thumb idea as to how the marks equate to performance, keep the following numbers in mind as an approximate guide. They will not be totally accurate for each Board, but they will give you a quick, useful idea as to levels:

40% Grade N
45% Grade E
50% Grade D
60% Grade C
70% Grade B
80% Grade A

If, for example, in one of the assessment papers that follow, a student has obtained approximately 70% of the marks available, this suggests a 'solid' B in that paper. However, 70% of the marks for the discrete Listening paper would mean 70% of 75 marks = $\frac{7}{10} \times 75 = 52.5$ marks.

Do remember that this assessment unit can only be an approximate guide to likely exam performance. All sorts of factors can have a major skewing effect, such as:

- mood/health on the day;
- a crafty little look at the answers;
- allowing too much time;
- too optimistic an interpretation of attempted answers.

Bonne chance!

Rod Hares & David Mort

Section 1 *Listening paper*

Time: 60 minutes + 15 minutes' preparatory listening
Marks: 75

Les transports dans les villes

Tâche 1

Ecoutez la première partie de cette discussion sur les transports dans les villes. Voici une liste d'affirmations concernant ces transports. Cochez celles qui sont mentionnées et laissez les autres blanches.

1 Mme Trautmann a repris l'initiative du maire de Strasbourg. ☐
2 Elle a mis des pistes cyclables partout dans la ville. ☐
3 Le tram et le vélo ont une valeur égale. ☐
4 Mme Trautmann est très fière de ses deux initiatives. ☐
5 Le système des pistes cyclables à Mulhouse est moins bien développé. ☐
6 Les cyclistes à Mulhouse peuvent s'égarer. ☐
7 Il y a pas mal de collines à Mulhouse! ☐
8 Aller en vélo en hiver est très sain! ☐
9 Le tram à Strasbourg évite le problème de trouver un parking pour sa voiture. ☐
10 Le centre-ville est fermé aux piétons. ☐
11 A Mulhouse il n'y a pas de rues piétonnes. ☐
12 Il vaut mieux prendre le bus que la voiture. ☐

(12 points)

Tâche 2

Ecoutez la deuxième partie de la discussion sur les transports en ville, puis répondez aux questions suivantes.

1 Pourquoi est-ce que, selon Ben, les rues piétonnes ne sont pas un bienfait total? (4)
2 Qu'est-ce qui coûte cher? (1)
3 Pourquoi est-ce que de tels changements se produisent moins facilement dans les plus grandes villes? (1)
4 Selon Ben, qu'est-ce qu'il faut pour essayer de sauver l'environnement? (3)
5 Pourquoi est-ce que les automobilistes profiteraient d'un bon système de transports en commun? (3)

(12 points)

Tâche 3

Summarise in English the views expressed by Sabine, Lana and Ben in the third part of the discussion in 110–120 words.
Remember to write in continuous prose and that the quality of language will be taken into account in the marking of your answer.

Section 2 *Mixed skills papers (Reading and Writing)*

A *Reading and Writing*

Tabac: les femmes en danger

En France, les fabricants tentent régulièrement de contourner la loi Evin, qui depuis 1991 leur interdit, entre autres, de faire de la publicité pour leurs produits. Alors que la vente de cigarettes diminue lentement, il s'agit pour eux d'accrocher de nouveaux clients, au premier rang desquels les jeunes et les femmes.

Cancer et infarctus

1 Aujourd'hui, en France, 31% des femmes fument et à seize ans, près de la moitié des jeunes filles sont déjà «accros» à la cigarette. Pour les séduire, les fabricants on créé des paquets aux couleurs pastel, ont remplacé le rouge vif par du doré, ont inventé des cigarettes légères ou fines pour les élégantes. «Avec les femmes, les industriels jouent encore sur du velours, estime Annie Sasco, du Centre international de recherche contre le cancer. Leur tabagisme étant assez récent, elles n'ont pas encore vu leurs sœurs ou leurs copines décéder d'un cancer et ne prennent pas conscience des dangers du tabac.»

2 Conséquence: alors que les hommes, de plus en plus sensibilisés au risque du cancer du poumon, (20 000 d'entre eux en meurent chaque année contre 3 000 femmes) commencent à arrêter de fumer, les femmes, elles, ne se sentent pas encore concernées. Des associations comme l'Union internationale de lutte contre la tuberculose et les maladies respiratoires ont décidé d'alerter la population féminine sur les risques encourus quand elle fume.

3 Depuis peu, la courbe de la mortalité par cancer du poumon chez les femmes commence à grimper, le cancer du col de l'utérus est deux fois plus fréquent chez les fumeuses, le duo tabac-pilule fait des ravages chez les grosses fumeuses, qui risquent un infarctus du myocarde.

La crainte de grossir

4 Chez la femme enceinte, le fait de fumer dix cigarettes par jour multiplie par deux le risque de mort subite du nourrisson chez l'enfant à naître (le risque moyen étant de 2 à 3 pour 1 000 naissances), la ménopause arrive en moyenne deux ans plus tôt chez la fumeuse, sans parler de l'effet modèle mère-fille qui assure une seconde génération de fumeuses à l'industrie du tabac. Mais pour les fumeurs, quel que soit leur sexe, les plus forts arguments contre le tabac ne sont rien à côté de la difficulté d'arrêter de fumer.

5 Chez les femmes, la crainte de grossir est souvent un argument supplémentaire pour continuer à fumer. En réalité, la moitié de celles qui arrêtent la cigarette ne vont pas prendre plus de trois kilos pour seulement 10% qui dépasseront les treize kilos de trop.

6 Entre intérêts industriels et santé publique, l'Etat, lui, compte les points et profite largement des augmentations du prix du tabac (la vente de cigarettes a entraîné 54 milliards de francs de recettes fiscales en 1996). En échange, les pouvoirs publics n'accordent que deux petits millions de francs annuels à la lutte contre le tabagisme.

Corinne THEBAULT

Tâche 1

Faites correspondre les nombres tirés du texte et les définitions. Attention! Il y a une définition de trop.

1 1991
2 31
3 16
4 20 000
5 3 000
6 2 : 1
7 4–6/1 000
8 13
9 1996

a le nombre annuel de femmes victimes d'un cancer du poumon
b l'âge où presque 50 pour cent des jeunes filles s'adonnent au tabac
c l'âge où le nombre de jeunes filles qui fument dépasse celui des garçons
d l'année de la mise en œuvre d'une loi contre la publicité qui prône le tabac
e le pourcentage de femmes qui fument
f le risque de mort subite du bébé d'une mère qui fume la moitié d'un paquet de cigarettes par jour
g le rapport fumeuses–non-fumeuses parmi les cas du cancer du col de l'utérus
h l'année où la taxe sur le tabac a rapporté plus de 50 milliards de francs
i Le nombre de kilos pris par le dixième de celles qui abandonnent le tabac
j le nombre annuel d'hommes mourant d'un cancer du poumon

(9 points)

Tâche 2

Répondez en français aux questions suivantes sans copier mot à mot des phrases entières du texte.

1 Quelles sont les raisons de l'augmentation de la consommation du tabac chez les femmes et pourquoi est-ce que les médecins s'inquiètent? (paragraphes 1 et 2: 5 points)
2 Pouvez-vous identifier le côté particulièrement féminin de cette nouvelle tendance? (paragraphe 3: 2 points)
3 En fin de compte, qu'est-ce qui empêche les femmes de renoncer au tabac? (paragraphe 4: 1 point)
4 Les femmes sont-elles vraiment justifiées dans leur crainte de grossir en renonçant au tabac? (paragraphe 5: 2 points)
5 Serait-t-on justifié d'accuser le gouvernement français d'une certaine dose d'hypocrisie? (paragraphe 6: 3 points)

(compréhension: 13 points
qualité de la langue: 5 points
total: 18 points)

Tâche 3

Vous avez une amie au Québec qui fume depuis quelques mois, mais qui n'est pas encore arrivée au point de non-retour. Ecrivez-lui une lettre de 250 mots basée sur le matériel dans l'article, dans laquelle vous essayez de la persuader de renoncer au tabac. Vous pouvez utiliser les idées dans le texte, mais ne recopiez pas de phrases complètes.

(20 points)

B *Writing*

Vincent's London Love

QUESTION Is there any record of where Van Gogh stayed in Putney and Twickenham?

VINCENT Willem Van Gogh was born on March 30, 1853, in Groot Zundert in North Brabant, Netherlands, the eldest son of the local pastor, Theodorus Van Gogh and his wife, Anna Cornelia Carbentus.

At 16, when deciding on a career, his options were to enter the ministry, like his father, or take up art, encouraged by his mother. He chose art and went to The Hague to work for his uncle in a branch office of Goupil & Co, an art house founded by his uncle.

Four years later, in 1873, Vincent was moved to the London branch of the firm. While in London, Vincent's love for Ursula Loyer, his landlady's daughter, was spurned, which led him to find solace in religion.

In October 1874, he was transferred to the Paris office, then back to London in December. The next summer he returned to Paris and, after a period of disagreement with his employers, was fired.

He returned to London and became an assistant teacher at Ramsgate until June, when he took a similar job in Isleworth, near Twickenham.

At Christmas 1876, soon after delivering his first sermon in a local Methodist church, he visited his parents in Holland but didn't return to his job in England. He worked in a bookstore in Dordrecht before attending theological school. He abandoned the course, and drifted for much of the rest of his life.

His time in England was (for him) relatively stable and among his works of the time are what are referred to as his 'juvenilia', including Ville d'Avray: L'Etang au Batelier (April 1875), Sketch of Westminster Bridge and the Houses of Parliament (July 1875), Houses at Isleworth (July 1876), and Vincent's Boarding House in Hackford Road, Brixton, London, most of which can be seen at the Van Gogh Museum in Amsterdam.

David Franks, Manchester

ANSWER Vincent Van Gogh stayed at a house at 100 Twickenham Road, Isleworth, in Middlesex in 1876.

Jenna Hill, Isleworth, Middx.

Tâche

Lisez le texte sur Vincent van Gogh et répondez aux questions en français pour donner les renseignements suivants. Les points seront accordés pour la qualité de la langue.

1. La raison du déménagement de Vincent (a) à la Haye et (b) à Londres. (4)
2. Les conséquences de la déclaration de son amour pour Ursula. (2)
3. La raison de son départ final de Paris. (2)
4. Ses actions après la visite à ses parents. (5)
5. Les observations sur sa période en Angleterre. (4)
6. Maintenant, écrivez un maximum de 80 mots pour donner vos propres réactions à l'histoire de Vincent. (8)

(25 points)

Section 3 *Oral module*

These tasks are provided to give you some practice in interpreting and general conversation activities. As test items, they should only be undertaken with the role of the examiner played by a teacher, *assistant(e)* or another Francophone. Of course, there is no reason at all why these pages should not be used simply as practice material, with another member of the French group playing the examiner. When it comes to marking, please remember the pointers given on page 77.

Interpreting *15 minutes*

Candidate's instructions

Use the three minutes before the test to read through the instructions below and think them through.

You are accompanying your uncle and aunt, Mr & Mrs Bernard, key members of your town twinning committee, to Bastidien, the sister town in Southern France. Unfortunately, the Bernards' French is much less advanced than yours and you find yourself required to do some interpreting for one of them and their French equivalent, immediately your coach arrives in Bastidien. As often happens on such visits, there have been some hitches in the arrangements and your interpreting skills will be much valued by the tired travellers seeking some rest. You will need to interpret from French into English and vice versa, since neither speaks the other's language.

You will need to interpret consecutively, that is, each time the person for whom you are interpreting stops speaking, so that you may render her/his statements in the other language.

While the conversation is taking place, you are entitled to ask the participants to repeat or clarify anything they may have said. Do not forget to speak to each of the participants in the language (s)he is using.

The use of a dictionary is **not** allowed.

Interpreting *15 minutes*

Interlocutor's instructions

A is the **Francophone**, **B** is the **Anglophone**.

Please make sure you role-play the appropriate transcript to the candidate. When the candidate begins to interpret consecutively, remember to pause where indicated and to give the candidate sufficient time to carry out each short piece of interpretation in the appropriate language. Please ensure that the candidate does **not** make any notes during the test.

You may repeat a statement once only to a candidate, who is also entitled to the occasional clarification by you. If it becomes clear that a candidate is unable to render a particular statement move smoothly on to the next point.

(20 points)

Interpreting

Script

A Bonjour, je m'appelle M./Mme Lagrange, président(e) du comité de jumelage.

B Pleased to meet you. I'm Mr/Mrs Bernard.

A Vous avez fait bon voyage?|| La mer était calme?

B Yes, thanks, the journey was great. || The sea was calm and we had no problems. || But, we're all tired now.

A Je comprends. Malheureusement nous avons eu quelques difficultés pour vous loger.

B What sort of difficulties?|| I hope it's nothing serious!

A Non, rien de particulièrement grave.|| C'est que ... plusieurs personnes ne peuvent pas recevoir leurs partenaires. || Mais nous en avons d'autres qui pourraient accueillir des membres de votre groupe.

B That's unfortunate!|| How many partners are we talking about || and who will have to go elsewhere?

A Il y a trois changements || et il s'agit de Mme Jenkins, Mlle Wyatt et M. Thomas. Nous avons trouvé trois familles pour les héberger, || mais c'est dans les villages à quelques kilomètres de la ville.

B I think that'll be all right. || The three people you mentioned are all very pleasant,|| not at all difficult to please. But, when you say a few kilometres from Bastidien,|| how far do you mean?

A Pas plus de trois ou quatre kilomètres|| et les nouveaux partenaires ont tous une voiture pour transporter vos gens.

B In that case, I don't think there will be a problem. || I'll talk to our people straightaway. || Thank you for finding the new partners.

Conversation générale

10–12 minutes

Script de l'examinateur/examinatrice

Première partie

Origines, formation et expérience de la candidate/du candidat

E = Examinatrice/Examinateur
C = Candidat(e)

E Est-ce que vous avez décidé d'aller à l'université ou non?

C . . .

E Pour quelles raisons?

C . . .

E Et qu'est-ce que vous voulez faire comme métier, carrière?

C . . .

E Et il faudra combien d'années pour ça?

C . . .

E C'est une décision personnelle? Tes parents, tes amis est-ce qu'ils y ont joué un rôle?

C . . .

E Alors, tu as toujours voulu faire quelque chose comme ça?

C . . .

E Est-ce que tu as des copains, des camarades de classe qui vont faire la même chose?

C . . .

E Quelles sont les qualités personnelles qu'il faut avoir pour faire ça?

C . . .

E Et est-ce que tu as toutes ces qualités?

C . . .

E Est-ce que tu vas continuer à faire ça toute ta vie?

C . . .

E Le salaire, il est bon?

C . . .

E Pourquoi, à part le salaire, recommanderais-tu ce métier aux autres?

C . . .

E Il y a beaucoup de gens de nos jours qui prennent une retraite anticipée vers l'âge de 50 ans ou même plus jeune. Est-ce que tu comptes faire la même chose?

C . . .

E Merci bien pour une conversation très intéressante. Passons maintenant à la deuxième partie de notre conversation générale.

(10 points)

Deuxième partie

Thème: les ordinateurs

E Comme tu le sais, les ordinateurs jouent un rôle énorme dans la vie actuelle. Il y a combien d'ordinateurs chez toi, par exemple?

C ...

E Et, dis-moi, pourquoi est-ce que tu as un ordinateur?

C ...

E Est-ce que tu as Internet?

C ...

E Et vous utilisez Internet à l'école/au collège?

C ...

E Et tes compositions, tes devoirs sous contrôle continu, est-ce que tu les tapes au clavier ou est-ce qu'ils sont manuscrits?

C ...

E Quels sont les avantages d'Internet?

C ...

E Et quels en sont les inconvénients?

C ...

E Et quels sont les autres services ou outils informatisés que tu utilises ... téléphone ou ordinateur portable, etc.?

C ...

E Et est-ce que la plupart des gens que tu connais ont le même équipement?

C ...

E Et les pauvres dans notre société, est-ce qu'ils ont les mêmes opportunités ou est-ce qu'ils en sont exclus?

C ...

E Et toi, personnellement, est-ce que tu connais des gens défavorisés qui sont pénalisés pour ne pas avoir suffisamment d'argent pour travailler avec les ordinateurs, avoir un portable, etc.?

C ....

E Sur le plan mondial, est-il réaliste de parler d'un monde où chacun utilisera les outils dont nous avons parlé? Le Tiers-Monde, par exemple?

C ...

E Une dernière question, comment est-ce que tu envisages la vie en 2100? Est-ce que nous serons gouvernés par les ordinateurs?

C ...

(10 points)

Assessment unit
Transcripts, answers and marking notes

Section 1 *Listening paper*

Les transports dans les villes

Transcript

Première partie

Rod Pour commencer quelque chose de très pratique: euh ... les vélos dans les villes. Est-ce que vous trois, vous avez des idées là-dessus?

Lana Oui, moi je viens d'Alsace, comme je disais ...

Rod Ouais, ouais ... bien sûr ...

Lana Donc nous surtout à Strasbourg, c'est une initiative qui a été lancée par le maire de Strasbourg, Madame Trautmann, qui est une femme, comme on le remarque ...

Rod Ouais, ouais.

Lana ... et qui fait maintenant ... fait partie du gouvernement Jospin. Et donc elle avait lancé l'initiative euh ... mettre des pistes cyclables dans toute la ville. Ce qui fait que ... on peut se rendre euh ... à l'université, on peut aller en ville en vélo, c'est pas un problème, quoi! L'infrastructure est très très bien développée. Il y a également le tram qui a été mis en place. C'est les deux grandes fiertés de Madame Trautmann, quoi! C'est ... A Mulhouse, où j'habite, on a aussi ses pistes cyclables. Elles sont un p'tit peu moins bien reliées, je dirais, des fois elles s'arrêtent, elles se coupent on sait pas où et il faut les retrouver tout seul, on est un peu perdu. C'est un petit peu mal relié mais quand même il y en a pas mal. Donc moi j'avais l'habitude d'aller au lycée en vélo. Maintenant que j'ai mon permis, j'y vais plus.

Rod Et ce n'est pas très plat là?

Lana Non, ce n'est pas très plat. Ça fait de bonnes jambes! Et puis voilà! Bon, c'est un peu délicat en hiver parce qu'il fait froid.

Rod Oui, bien sûr! Mais ... bon, ce qui compte c'est l'environnement, l'écologie, ça apporte des ... des bienfaits énormes.

Lana Oui, tout à fait. C'est ce que je disais! Il y a le tram. Beaucoup de gens utilisent le tram parce que c'est écologique et parce que c'est impossible à Strasbourg de se garer et parce que la ville est fermée en fait, pour les voitures. Le centre-ville est fermé. C'est des rues piétonnes. A Mulhouse, c'est pareil, il y a que des rues piétonnes. On peut y accéder mais c'est plus facile d'y aller en bus ou ... parce que pour trouver une place, euh ... c'est impossible pour se garer.

Deuxième partie

Rod Et qu'est-ce que t'en penses, toi Ben?

Ben Je crois que ça devrait être encouragé, mais ... mais parfois c'est pas vraiment ... c'est pas trop pratique, je veux dire. Il faut quand même garder les rues ouvertes pour les livraisons ... pour euh ... les taxis ... pour ... et ça coûte cher par exemple de faire installer un tram, donc ... Oui, bien sûr! Je pense que c'est une très bonne idée. Ça devrait être encouragé. Mais je pense que le changement dans les très grandes villes comme Paris ou Londres, se fera beaucoup plus lentement à cause du ... de la superficie.

Rod Oui, mais est-ce qu'il faut essayer quand même?

Ben Oui, bien sûr! Bien sûr! Je trouve que c'est une idée formidable quoi! Mais euh ... ça c'est ... en fait c'est une question, ouais, c'est une question écologique. Il faudrait euh ... pour essayer de sauver l'environnement, euh ... il suffit d'améliorer l'infrastructure et les transports publics, mais il ne suffit pas seulement de l'améliorer, il faut baisser les prix par exemple. Et si euh ... les infrastructures, les transports sont faciles et pas chers, tout le monde le prendra et le gouvernement n'aura pas besoin de faire une guerre tellement agressive contre les automobilistes, comme tous les gouvernements font en ce moment, en haussant le prix de l'essence et en parlant de ... d'imposer plus de taxes routières.

Rod Oui, oui! C'est exact!

Troisième partie

Rod Très intéressant pour moi, toi qui viens de l'extérieur pour ainsi dire à ces Problèmes Européens, en majuscules, puisque ce sont plutôt des problèmes mondiaux, hein? Mais quelle est ta réaction quand tu vois toute la circulation en France et en Grande-Bretagne, tout ça?

Sabine Euh ... je suis horrifiée. Parce que la première chose c'est du bruit! Beaucoup, beaucoup de bruit avec la circulation! Et la deuxième chose c'est que euh ... on a du mal à respirer dans une grande ville. Bon, je prends l'exemple de Paris où j'ai vécu, il y a des fois quand il fait un peu chaud, c'est impossible euh ... de marcher pendant cinq minutes sans être essoufflé. Et on ... on sent dans l'air toute cette pollution produite par les voitures, par les autobus, etc. et, bon, c'est vraiment pas agréable! Et ... pour revenir à ce que Ben disait, les vélos à Paris. Ils ont décidé de ... depuis la grève des transports il y a deux ans, euh ... le maire de Paris a décidé de développer normalement les pistes cyclables parce que pendant un mois tout était bloqué et donc les gens sont revenus au vélo et ... ce qui s'est passé, c'est que après cette grève, malgré que la grève soit finie, les gens ont décidé de garder, euh, ... ce même ... ce même rythme ... j'appellerais, pour aller au travail en vélo, retourner en vélo. Donc euh ... de ce fait, les pistes cyclables ... ils étaient en train de développer les pistes cyclables. Je sais pas si c'est fini, mais ils l'ont fait quand même dans pas mal d'arrondissements de Paris.

Rod Ouais, ouais!

Lana Non ... j'allais dire que c'est vrai, c'est ce qu'ils essaient de faire à Paris aussi, mais apparemment les budgets sont bloqués. A chaque fois qu'ils essaient d'avancer un p'tit peu, quelqu'un dit: ah, ben non! il n'y a plus d'argent, il faut attendre un petit peu ... enfin, bon! ...

Sabine Ça, c'est toujours le même problème!

Lana ... Ça fait que tout est fait à moitié tout le temps, quoi!

Ben L'autre problème c'est aussi ... c'est qu'il faudrait fournir des ... des endroits pour y garder les vélos et pour les y laisser sans revenir, pour qu'ils ne soient plus là, quoi!

Lana Pour qu'on rentre pas à pied après.

Tâche 1 Answers

1 faux **2** vrai **3** vrai **4** vrai **5** vrai **6** vrai **7** vrai **8** faux **9** vrai **10** faux **11** faux **12** vrai

(12 points)

Tâche 2 Answers

Accept any reasonable formulations. One point for the material between each pair of double bars. If your Consortium allocates half the marks for comprehension and the other half for language, double the total marks for each question.

1 || Ce n'est pas trop pratique. || Il faut garder les rues ouvertes || pour les livraisons || et pour les taxis. ||
2 || L'installation d'un tramway. ||
3 || A cause de la superficie. ||
4 || Améliorer l'infrastructure || et les transports publics. || Baisser les prix. ||
5 || Il n'y aurait pas besoin d'une guerre agressive contre les automobilistes || où l'on augmente le prix de l'essence || et (parle d') imposer plus de taxes routières.||

(12 points)

Tâche 3 Answers

Allow any reasonable formulations. One mark for the information between each pair of double bars to a maximum of 16.

|| Sabine is horrified by the noise of our traffic || and by how difficult it is to breathe in the big city. || In Paris || there are times when it is hot || and impossible to walk five minutes || without becoming breathless. || You can smell all this unpleasant vehicle pollution. || Since the transport strike || the Mayor of Paris has decided || to develop the cycle paths || because everything came to a standstill || for a month || and people went back to their bikes. || Although the strike had finished || people decided to carry on going to work (and coming back) by bike. || They had started extending the network of cycle paths || but then the budget got stalled. || That is always what happens. || That way, everything gets half done. || There should also be cycle parks, || where you can pick up and leave bikes || and find them still there when you come back.||

(16 out of 22 points)

Note: The bracketed rubric information relates to Edexcel prescriptions and should be ignored by students preparing for other consortia.

Section 2 *Mixed skills papers*

A *Reading and writing*

Tabac: les femmes en danger

Tâche 1 Answers

1d **2**e **3**b **4**j **5**a **6**g **7**f **8**i **9**h
(c = distractor)

(9 points)

Tâche 2 Answers

Suggested answer.

1 Les fabricants de cigarettes ont ciblé les femmes || pour compenser la diminution dans la vente du tabac. || Ils ont utilisé des moyens séduisants comme des paquets aux couleurs pastel || et il en a résulté une augmentation notable dans la proportion de femmes qui fument || et de celles qui souffrent d'un cancer du poumon || – ce qui déconcerte les médecins.||

2 La façon dont le taux du cancer du col de l'utérus a doublé et le rôle joué par la combinaison tabac-pilule.

3 Le fait qu'il est si difficile d'arrêter de fumer (une fois qu'on est accro).

4 Pas vraiment, parce que relativement peu de femmes (10%) prennent plus de treize kilos.

5 Assurément, parce qu'il perçoit chaque année 54 milliards de francs de taxe sur le tabac, tout en versant la somme dérisoire de deux millions de francs pour combattre le tabagisme.

(10 points)

Points of exam technique:
The answers to questions 2 and 3 show that responses may be incomplete sentences, without affecting the quality of the language. In fact, they are admirably direct, something greatly appreciated by examiners, who often have to wade through piles of interminable answers.

In answers 4 and 5, *pas vraiment* and *assurément*, far from being slang, show that the candidate has caught the tenor of the questions. Once again, the examiner gets straight answers.

Tâche 3
Personal response.

(20 points)

B *Writing*

Vincent's London love

Suggested answer.

1 C'était pour son travail. Il est parti à La Haye, travailler pour son oncle || dans les bureaux de la société Goupil, || une maison de peintures. || En 1873 il a été transféré || à la succursale anglaise de Goupil à Londres.||

2 Sa déclaration a été traitée avec mépris || et il a trouvé sa consolation dans la religion.||

3 Ses employeurs l'ont congédié || après une période de disputes.||

4 Il n'est pas rentré à son poste en Angleterre, || choisissant de travailler dans une librairie à Dordrecht. || Puis, il est passé au séminaire, || a abandonné ses études || et s'est laissé aller pendant le plupart du reste de sa vie.||

5 Son séjour en Angleterre était plutôt stable || et il a peint une série de peintures, || qu'on appelle ses «Juvénilia», || dont la plupart sont exposées dans le musée Van Gogh à Amsterdam.||

6 Personal response.

(25 points)

Coursework suggestions

The following suggestions provide possible frameworks for coursework assignments. Indicated in the table below are the units in *Tout droit!* and *Droit au but!* that are relevant to each suggestion. (Although coursework is part of A2 rather than AS, we have included some references to units in *Tout droit!* where these units provide material that is suitable as a springboard for coursework.)

NB Two crucial reminders for students:

1 All coursework assignments must have a French or francophone context as their reference point. Failure to refer to French or francophone contexts will automatically reduce the candidate's marks.

2 For any survey assignment, once the student has devised the questionnaire he/she should try it out on a couple of fellow students to make sure the questions work before it is sent to the 'real' respondents.

Suggestion	***Tout droit!/Droit au but!* units**
• Investigate: – trends in marriage and divorce in France over the last 20 years (find relevant statistics and identify trends); – the influence of religion on people's choices about marriage, children, and divorce (find relevant data and/or survey as large a group as possible of French contacts	DAB u1
• Is it possible to describe a typical French family at the present time? If not, why not? Explain your views with reference to factual research as well as any anecdotal evidence.	DAB u1
• Devise a questionnaire for a survey concerning the spending habits of French people aged 14–18 – (cinema/books/ meals/ drinks/holidays/other) – making sure that one of your questions finds out the age of the respondent. Circulate the questionnaire among French contacts, e.g. via a penfriend. When you have enough information, write up your findings, noting any change in spending/saving habits between the ages of 14 and 18.	TD u2, u4; DAB u2
• E-mail twenty French-speaking teenagers/a class in your exchange school, sending them a questionnaire on their eating and drinking habits (e.g. times/frequency/what they eat/who they eat with/whether they are concerned about health issues in this context). Write up the information you receive, with an explanatory narrative.	TD u2, u4; DAB u2
• Find out as much as you can from French sources about attitudes to alcohol/smoking/'soft' drugs. Compare your findings with your own views.	DAB u2
• Investigate policies (e.g. educational, charity work) being implemented in France to reduce levels of drug-taking among young people. Report your findings and comment on the effectiveness of the projects you have discovered.	DAB u2
• Write a study of a traditional or particularly popular French sport or a profile of a French sports personality.	TD u5
• Survey via e-mail the opinions of French TV viewers about, for example, preferred TV viewing, the levels of foreign input, etc.	TD u6
• Monitor the content of a French-language newspaper over a set period of time. You should be able to access most major newspapers via the Internet or to subscribe for a short period. Write a report on what you have observed and comment on it.	TD u6
• Monitor and review a range of adverts on a French television channel or radio station.	TD u6
• E-mail or write to a group of twenty French-speaking contacts and collate their responses to questions about transport – services in their area; their own personal transport choices/needs; their views on the environmental aspect of transport issues. Report and review your findings.	TD u7; DAB u3
• Having recently booked a holiday to France, you read that certain sections of the French coast are heavily polluted. Write – a letter to the local tourist board expressing your concern for your family's health and safety – a reply from the tourist board, answering your points.	DAB u3
• Write an article about an environmental project which is being/has been carried out in a French-speaking region, describing the contributions made by individuals and the authorities	DAB u3
• Carry out a study comparing two contrasting regions, one urban and one rural, from the point of view of: – employment – transport – social issues.	TD u9, u7; DAB u3, u6, u8
• Write two contrasting personal accounts of the experience of living in France: one by a person of retirement age who immigrated to France from Algeria in the 1950s and is now living in Marseilles, and one by his grandson, now living in Paris.	DAB u4

• Imagine that a French friend writes to you about his/her new fiancé(e) who is from a different ethnic group. The couple are experiencing various problems due to the fiancé(e)'s ethnic origin. Write your penfriend's letter – and your reply.	DAB u4
• Make a study of the work of one French film director or actor. Write a profile of your chosen person and their contribution to French cinema.	DAB u5
• Devise a questionnaire about cinema-going habits (frequency/preferred type of films/why they do or do not go to the cinema) and circulate it among French contacts in two age groups: 16–25 and 45–60. From the older age group, find out how their film-going habits have changed and why. Report your findings and analyse any trends they reveal.	DAB u5
• Study and contrast two film adaptations of French literary works (e.g. *Germinal, Jean de Florette, Manon des Sources, Madame Bovary, Le Colonel Chabert*).	DAB u5
• Make a study of the educational and vocational options available in France to students aged 16 and students aged 18. Interview at least one person from each age group about what has influenced their choices. Analyse your findings in a report.	TD u3, u8; DAB u6
• Obtain as much information as possible, from French sources, about language courses for foreigners in France or in French-speaking countries. Use the information to describe the course you would choose for yourself, writing about where you would go and what your objectives would be.	TD u3; DAB u6
• Research holiday-job opportunities in France or a French-speaking country available to people of your own age and experience and report on your findings: what qualifications are preferred/demanded for the kind of job you would like to do?	TD u8; DAB u6
• Find out as much as you can about what your own job prospects in France would be, based on your examination expectations and any work experience you may have. Outline a possible plan including the practical steps you would have to take.	TD u8; DAB u6
• Using as many French contacts as you can, investigate the existence of a 'glass ceiling' for women employees in France. Find out whether your contacts are in favour of any form of positive discrimination such as 'quotas' for women employees. Report and analyse your findings.	DAB u6
• Choose one French product and make a study of how it is produced, packaged and marketed. Contact at least one French company that makes the product and obtain information from them; do research on the Internet and report on your findings; if you can, make contact with an individual who works for the company.	DAB u6
• Investigate the extent and purpose of the use of the Internet and new communications technology among a group of at least 20 French contacts of various ages. Find out about their expectations for the next few years: how, and how much, do they expect new communications technology to affect their working or personal lives?	TD u6, u8; DAB u6
• Investigate attitudes to the arming of the police, among a group of at least 20 French contacts.	DAB u7
• Make a study of juvenile crime in France, finding out where the problems are greatest and what alternatives to a prison sentence exist for young offenders.	DAB u7
• Make a study of a French rural area or *commune* with regard to employment, commerce (are shops and restaurants thriving?), sources of income in the area, and any demographic trends (e.g. are younger people moving away?).	TD u9; DAB u8
• Undertake a study of a town or community in a French-speaking country, covering at least three of the following aspects: – employment – language – traditions – food and drink – tourism – local products.	TD u9; DAB u8
• Devise a leaflet publicising the attractions of a region in a French-speaking country, and promoting it as a holiday/tourist destination for visitors.	TD u9, u10; DAB u8
• Obtain as many French-language travel magazines as possible (or research equivalent information on the Internet). Write about a holiday that you would like to spend in a French-speaking country on a limited budget. State how you would travel, where you would go, and why.	TD u9, u10; DAB u8
• Imagine that you have a month to travel around France or another French-speaking country. Read about the areas you might visit, plan an itinerary and a budget, and write a report which includes: – reasons for your choice of places to visit – details of your itinerary, including how you would travel – a budget showing likely costs for day-to-day living, accommodation, transport, visits, etc.	TD u9, u10; DAB u8
• Investigate attitudes to European integration, among a group of at least 20 French contacts, including people of different ages. How do they view the impact of European integration on: – national identity – employment prospects in their country? – employment prospects in the EU as a whole? – cultural life?	DAB u8
• Make a study of one francophone country outside metropolitan France. Note the most striking cultural differences between your chosen area and France itself, and any clear cultural similarities..	DAB u8

